Christopher Vasey

Gérez votre équilibre acido-basique

Une vision complète

Du même auteur aux Éditions Jouvence

L'équilibre acido-basique (n.e.), 2011
La détocixation optimale, 2011
Petit traité de naturopathie (n.e.), 2011
Les cures de santé (n.e.), 2010
Manuel de diététique, de nutrition et d'alimentation saine, 2009
Remèdes de grand-maman, 2008
La fièvre, une amie à respecter, 2008
Quand le corps a soif, 2007
Alternatives naturelles aux antibiotiques, 2004
Manuel de détoxication (n.e.), 2003
Les compléments alimentaires naturels, 2003
Un hiver sans grippe, 1997

Catalogue gratuit sur simple demande
ÉDITIONS JOUVENCE
Suisse: CP 184, 1233 Bernex-Genève
France: BP 90107, 74161 Saint Julien en Genevois Cedex
Mail: info@editions-jouvence.com
Site internet: **www.editions-jouvence.com**

Couverture: Éditions Jouvence
Composition: Nelly Irniger (n.irniger@gmail.com)
Tous droits de traduction, reproduction et adaptation
réservés pour tous pays.

Sommaire

Deuxième partie

Comment se désacidifier
par l'alimentation?......59

Troisième partie

Comment neutraliser et éliminer les acides ?......139

Introduction

L'importance de l'équilibre acido-basique pour la santé est reconnue par un nombre croissant de malades et thérapeutes. Dans mon livre *L'équilibre acido-basique*, j'ai expliqué ce qu'était cet équilibre et comment le corriger lorsqu'il était perdu, afin de retrouver la santé.

L'expérience a cependant montré la nécessité d'approfondir différents points, de manière à rendre cette correction plus facile à réaliser pour le lecteur. Un certain nombre de questions se posaient en effet concernant l'interprétation des mesures du pH urinaire, le choix des aliments, l'établissement des menus alcalins, le dosage de compléments basiques, etc.

C'est le but de *Gérez votre équilibre acido-basique* que vous avez entre les mains que d'apporter les éclaircissements encore nécessaires. En cela, il est un livre éminemment pratique. Tout en formant en lui-même un tout, il constitue un complément idéal à *L'équilibre acido-basique*.

Le manuel comprend trois parties, chacune correspondant à l'une des grandes questions que l'on peut se poser sur le sujet :

1 • Suis-je acide ?

Après un bref exposé sur ce qu'est le problème de l'acidité, il est expliqué quels sont les tests à disposition, comment les effectuer et surtout, comment les interpréter.

2 • Comment se désacidifier par l'alimentation ?

L'alimentation jouant un rôle fondamental dans l'équilibre acido-basique, cette partie donne des listes détaillées des aliments alcalinisants, acidifiants et acides ; une classification des aliments selon leur pouvoir d'acidification, des règles pour manger équilibré, l'analyse de repas courants, mais acidifiants, et de nombreuses propositions de menus alcalins.

3 • Comment neutraliser et éliminer les acides ?

Les cures de compléments basiques – souvent incorrectement appliquées – sont expliquées ici en détail : comment doser les bases, combien de temps effectuer la cure, comment contrôler son efficacité, quels sont les produits à disposition, etc. Sont également exposés : comment drainer les acides vers l'extérieur du corps et comment se revitaliser avec des revitalisants basiques.

Première partie

Définition
de l'acidité

1 • Qu'est-ce que l'équilibre acido-basique ?

Les substances utilisées pour la construction et le fonctionnement de notre organisme sont très nombreuses : il y a une vingtaine d'acides aminés, plusieurs dizaines de sucres et d'acides gras, une quarantaine de vitamines et une centaine de minéraux et oligoéléments. Chacune de ces substances joue un ou plusieurs rôles précis dans l'organisme.

Malgré leur extrême diversité, il est possible de les classer en deux grands groupes : les substances basiques (aussi appelées alcalines) et les substances acides.

Ces deux genres de substances ont des caractéristiques opposées, mais qui se complètent. Ainsi, pour être en bonne santé, notre organisme a autant besoin des unes que des autres. Présentes en quantités égales, l'équilibre qui existe entre les acides et les bases est ce qui s'appelle *l'équilibre acido-basique*.

L'équilibre acido-basique n'est pas le seul équilibre organique nécessaire à notre santé. Il en existe au contraire de nombreux autres. Par exemple, l'équilibre entre l'activité et le repos, l'état de veille et de sommeil, l'inspiration et l'expiration, le sang veineux et le sang artériel, les apports et les dépenses énergétiques, la production et l'élimination des toxines, etc. Et de même qu'il est préjudiciable pour nous de rompre l'un de ces équilibres – par exemple manger plus que les besoins de notre corps le demandent ou ne pas se reposer assez pour compenser notre activité quotidienne – la présence excessive de substances acides ou basiques est néfaste pour notre santé.

Qu'est-ce qu'un acide ?

Pour avoir goûté un citron ou de la rhubarbe, tout le monde est familiarisé avec l'une des caractéristiques les plus accessibles des acides : leur goût. Mais le fait de saliver abondamment pour nous préserver des acides de ces aliments en les diluant peut aussi nous faire prendre conscience d'une autre propriété des acides : leur caractère agressif, voire corrosif.

Cette dernière propriété est d'ailleurs mise à profit de différentes manières dans notre vie quotidienne : on emploie du vinaigre pour dissoudre les dépôts calcaires dans les baignoires et casseroles, et de nombreux produits de nettoyage courants doivent en partie leurs qualités nettoyantes aux acides qu'ils contiennent. Le caractère corrosif des acides est mis en évidence par l'expérience bien connue d'un morceau de viande ou d'une pièce de monnaie mis à tremper dans une boisson à base de cola. Au bout de quelques jours, la viande s'est dissoute et n'est plus visible, et la pièce de monnaie est rongée en surface.

Chimiquement, les acides sont définis comme des substances libérant des ions hydrogène (H) lorsqu'elles sont en solution dans l'eau. Cette libération d'ions n'est pas identique ou uniforme pour tous les acides : certains en libèrent plus que d'autres. Il existe donc des taux d'acidité variables. Par exemple, la rhubarbe ou le citron sont beaucoup plus acides que les fraises ou les tomates, qui sont également des aliments acides.

Le goût n'est cependant pas un moyen infaillible pour déterminer le caractère acide d'un aliment, car les acides que contient ce dernier peuvent être en partie neutralisés et leur goût annulé par la présence d'autres substances. La viande et les céréales ne sont pas acides au goût, ce sont pourtant des aliments très acidifiants.

En dehors du système de mesure du degré d'acidité – le pH, dont nous parlerons plus loin – il est possible de déterminer si quelque chose est acide ou non en analysant sa teneur en minéraux. En effet, les minéraux peuvent aussi être divisés en deux grands groupes : les minéraux acides et les minéraux basiques. Les principaux minéraux acides sont le soufre, le chlore, le phosphore, le fluor, l'iode et la silice.

Lorsqu'un corps contient plus de minéraux acides que basiques, il sera dit acide. Ainsi, les eaux minérales, qui contiennent toutes les deux sortes de minéraux, seront dites alcalines lorsque les minéraux basiques comme le calcium et le magnésium prédominent, et acides lorsque le soufre, le chlore ou le gaz carbonique l'emportent. Ou encore, un aliment riche en phosphore, les noisettes par exemple, est plus acide qu'un autre qui en contient moins, comme les amandes.

Qu'est-ce qu'une base ?

Contrairement aux substances acides, les bases ne libèrent pas ou très peu d'hydrogène. D'ailleurs, moins elles libèrent d'ions H, moins elles sont acides ou, en d'autres termes, plus elles sont basiques.

De plus, et contrairement aux acides, les bases n'ont pas de propriétés agressives. Ce sont des substances « douces ». Alors que le jus de citron qui pénètre dans une plaie produit de fortes brûlures, le lait ne le fait pas. Les substances alcalines sont d'ailleurs employées pour lutter contre les dégâts occasionnés par les acides. Ainsi, le jus de pommes de terre calmera les douleurs causées par l'hyperacidité gastrique, et le lait ingéré en grandes quantités sera un moyen efficace pour neutraliser l'agressivité de poisons acides avalés par erreur.

Au goût, les aliments basiques se caractérisent par un très faible goût acide. Dans les aliments les plus basiques, comme les bananes, les amandes, le lait frais, on ne décèle même pas la moindre saveur acidulée.

Les minéraux basiques sont le calcium, le potassium, le magnésium, le sodium, le fer, le manganèse, le cobalt et le cuivre. Parmi ceux-ci, le calcium est le minéral le plus représenté dans notre organisme: plus d'un kilo, pour la plus grande partie dans le squelette.

Comme pour les acides, la saveur n'est pas un critère qui permet de repérer le caractère basique d'un aliment. Certains aliments, par exemple le pain et le sucre blanc, n'ont pas un goût acidulé, mais ne sont quand même pas basiques. Les acides que contiennent ces aliments sont libérés au cours de leur digestion et de leur utilisation par l'organisme.

Quel est le système de mesure de l'acidité ?

La différence entre un acide et une base étant leur plus ou moins grande capacité à libérer des ions hydrogène, l'unité de mesure du degré d'acidité ou d'alcalinité est le pH, c'est-à-dire la puissance ou le potentiel (p) à libérer des ions hydrogène (H).

L'échelle de mesure du pH va de 0 à 14. Le chiffre 7 indique l'équilibre entre les acides et les bases, donc un pH neutre. Plus le potentiel de libération de ions H est grand, plus le chiffre du pH devient petit, de 6 à 0, zéro étant l'acidité absolue. Au contraire, plus le pH est basique, plus le chiffre est grand, de 8 à 14, quatorze étant l'alcalinité absolue (c'est-à-dire une libération d'ions H nulle).

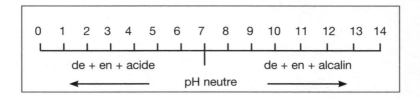

L'échelle de mesure du pH se présente donc à l'inverse de ce à quoi l'on pourrait s'attendre, puisque plus le degré d'acidité est grand, plus le chiffre du pH est petit.

Il faut aussi souligner que le passage d'un chiffre à l'autre de l'échelle de mesure n'est pas arithmétique, mais logarithmique, ce qui signifie que les valeurs séparant les unités les unes des autres ne sont pas égales tout au long de l'échelle, mais vont en augmentant au fur et à mesure qu'elles s'éloignent de la position d'équilibre. Les valeurs sont multipliées par 10 à chaque unité (voir schéma page 18). Autrement dit, si la concentration en ions H est de 10 au pH de 6, elle est de 100 au pH de 5, de 1000 au pH de 4, de 10 000 au pH de 3. Les écarts entre les pH 6 et 5 d'une part, et 5 et 4 d'autre part, ne sont pas égaux puisqu'ils sont de 90 dans le premier cas et de 900 dans le second cas.

Concrètement, cela signifie que le degré d'acidité est beaucoup plus grand que l'on pourrait croire en regardant la progression des chiffres. Lorsque le pH urinaire passe de 6 à 5 par exemple, l'acidification est beaucoup plus grande que lors du passage de 7 à 6.

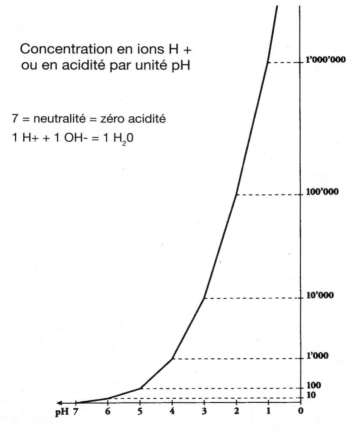

(extrait du livre *Terrain acidifié*, de Jacques Fontaine, Éd. Jouvence)

La mesure du pH des différentes substances se fait à l'aide d'un papier réactif spécial, appelé papier tournesol. Mis en contact avec une dilution de la substance à tester, le papier change plus ou moins de couleur et indique ainsi son degré d'acidité ou d'alcalinité (cf. chapitre II).

Que sont les acides forts et faibles ?

Indépendamment du degré d'acidité que l'échelle du pH permet de mesurer, les acides peuvent avoir pour caractéristique d'être forts ou faibles. En effet, ils ne se présentent que rarement à l'état libre ou isolés, mais le plus souvent liés à des bases. Or, lorsque la base avec laquelle un acide se trouve associé est forte (chimiquement parlant), l'acide compte pour peu dans la liaison. Il est dit faible car il peut facilement être rejeté. À l'inverse, lorsque la base est faible, l'acide compte pour beaucoup. Il est stable, se combine mal avec autre chose et il est dit fort.

La distinction entre acides forts et faibles est utile à connaître car, physiologiquement parlant, les acides forts – à cause de leur stabilité et de la difficulté à se combiner – sont beaucoup plus difficiles à neutraliser et à éliminer de notre organisme que les acides faibles.

Les acides forts proviennent principalement des protéines animales. Il s'agit notamment des acides uriques, sulfuriques et phosphoriques. Leur évacuation nécessite un travail important de neutralisation du foie et un travail non moins important d'élimination des reins. Ces derniers ne peuvent d'ailleurs pas éliminer plus qu'une quantité bien définie d'acides forts par jour, l'excédent s'accumule alors nécessairement dans les tissus. La consommation de protéines animales doit donc être contrôlée en conséquence.

Les acides faibles sont avant tout d'origine végétale (hydrates de carbone et protéines végétales), exceptés ceux provenant des yogourts, du petit-lait… qui sont d'origine animale. Il s'agit de l'acide citrique, oxalique, pyruvique, acétylacétique, etc. Les acides faibles sont également dits volatils car, une fois oxydés, ils s'éliminent sous forme gazeuse par les poumons, en tant que vapeur d'eau et gaz carbonique (CO_2). Cette élimination est facile à effectuer et n'est quantitativement pas limitée, comme c'est le cas avec celle des acides forts et non volatils par les reins. Lorsque l'organisme veut intensifier l'élimination des acides volatils, il lui suffit d'augmenter les échanges respiratoires, c'est-à-dire l'amplitude des mouvements thoraciques.

pH et santé

Notre organisme fonctionne au mieux lorsque le milieu intérieur, pris dans sa globalité, possède un pH de 7,39, donc légèrement alcalin. Les variations normales de ce pH sont très faibles : jusqu'à 7,36 du côté de l'acidification et jusqu'à 7,42 du côté de l'alcalinisation. Au-delà de ces deux chiffres, on se trouve soit en acidose (de 7,36 à 7), soit en alcalose (de 7,42 à 7,8). Si ces limites sont dépassées, le corps ne peut plus fonctionner et la mort s'en suit.

mort	acidose	pH normal	alcalose	mort
←				→

6	7	7,36	7,42	7,8	9

La zone santé s'étend du pH 7,36 à 7,42, et la maladie apparaît sitôt que l'on se trouve en acidose ou en alcalose. De ces deux variantes, l'acidose est de loin la plus courante – plus de la moitié de la population en souffre – et c'est d'elle dont il sera question dans ce livre.

Le pH des différents liquides organiques et tissus varie d'une partie du corps à l'autre. Lorsqu'on parle d'un pH idéal pour l'organisme de 7,39, il s'agit avant tout de celui du sang, et dans une moindre mesure, de celui du terrain, c'est-à-dire l'ensemble des liquides organiques comme la lymphe, les sérums extracellulaires (qui entourent les cellules) et les intracellulaires (à l'intérieur des cellules). Le sang est en effet « *un suc tout à fait particulier* » (Goethe) dont le pH doit rester très stable afin de maintenir la vie dans l'organisme. Toute modification du pH sanguin, même minime, est rapidement corrigée par l'organisme et ramenée à la mesure idéale de 7,39, sinon des troubles physiques et de modification de la conscience apparaissent rapidement.

Le pH du terrain peut, quant à lui, subir des modifications plus importantes que le sang, bien qu'encore très réduites puisqu'elles ne doivent pas dépasser 7,36 et 7,42, pour que le corps demeure en bonne santé.

Certaines personnes s'étonneront de lire que le pH ne peut s'éloigner de plus d'une demi-unité sans entraîner la mort, étant donné qu'en mesurant leur pH urinaire, elles ont pu constater que celui-ci était beaucoup plus bas, à 6, voire 5 ou 4,5. Une telle chose est possible – sans que ces personnes ne soient gravement malades – car le pH idéal mentionné ci-dessus est celui du sang, ou de manière générale, celui du terrain. Il existe cependant de nombreux liquides organiques – comme l'urine qui ne reste pas dans le corps, mais est éva-cuée – et des organes dont le pH est très éloigné de la valeur idéale sans que cela soit anormal.

Sont par exemple franchement acides : le milieu intérieur de l'intestin grêle (pH 6), les couches superficielles de la peau (5,2), le milieu gastrique (2). Sont au contraire très basiques : les couches profondes de la peau (pH 7,35), les sucs pancréatiques (de 7,5 à 8,8) et l'intérieur du côlon sigmoïde (8).

Ces différentes valeurs sont normales et correspondent à des besoins précis de l'organisme. Par exemple, l'acidité du milieu gastrique est indispensable pour que la digestion des protéines – qui se fait dans l'estomac – puisse avoir lieu, et celle de la peau lui aide à détruire les microbes qui tenteraient de pénétrer dans l'organisme.

Rétablir l'équilibre acido-basique ne signifie donc pas corriger le pH du milieu gastrique (qui est de 2) pour le faire remonter à 7 – ce qui engendrerait de graves problèmes digestifs – mais rétablir le pH du *terrain* puisque, comme nous l'avons vu, le pH du sang ne se modifie pratiquement pas. C'est en effet l'acidification du terrain qui est à l'origine des troubles de santé dus à l'acidité.

Comment le corps se défend-il face à l'acidification ?

À chaque déséquilibre entre les bases et les acides, que ce soit au niveau du terrain en général ou d'un organe particulier, l'organisme doit réagir pour maintenir son équilibre. Il dispose de deux possibilités. La première consiste à réduire les substances en excès en les rejetant vers l'extérieur du corps, la seconde à en neutraliser une partie en formant des sels neutres à l'aide de matières aux propriétés inverses.

Voyons de plus près le premier de ces processus.

L'élimination des excès d'acides se fait par les émonctoires chargés de cette élimination : les poumons et les reins.

La voie la plus rapide pour se débarrasser d'un brusque apport d'acides est les voies respiratoires. En oxydant les acides, les poumons n'ont plus qu'à les rejeter lors de chaque expiration, sous forme de gaz carbonique et de vapeur d'eau. Cela est facile car il lui suffit d'augmenter l'amplitude et le rythme des mouvements respiratoires pour intensifier cette élimination et l'adapter aux nécessités du moment.

Malheureusement, cette manière de procéder n'est possible que pour les acides faibles. Quant aux acides forts, qui sont non volatils, ils ne peuvent être éliminés sous forme gazeuse par les poumons, mais doivent l'être sous forme solide par les reins. Les acides urique, sulfurique, etc., sont donc filtrés hors du sang par les reins et rejetés à l'extérieur du corps, dilués dans l'urine. Contrairement aux poumons, les reins ne peuvent adapter les éliminations aux besoins organiques. Même en travaillant de manière optimum, les quantités évacuées ne dépassent pas un certain taux quotidien.

L'accumulation des excédents d'acides dans le terrain serait ainsi irrémédiable s'il n'existait pas une autre porte de sortie pour eux : la peau et, plus précisément, les glandes sudoripares. Le plus souvent, cet émonctoire n'est pas mentionné, mais il est aussi très utile pour éliminer les acides.

Réparties sur toute la surface du corps, les glandes sudoripares – plus de 2 millions – sont capables de rejeter des acides forts car elles travaillent comme les reins et éliminent le même genre de déchets qu'eux. Dilués dans la sueur, ces acides forts peuvent ainsi quitter l'organisme, bien que ce soit en quantités moindres que dans l'urine puisque nous éliminons seulement 0,8 litre de sueur par jour, contre 1,5 litre d'urine, et que la sueur est beaucoup moins chargée en toxines que ne l'est l'urine.

Qu'est-ce que le système tampon?

Les acides et les bases sont des substances qui possèdent des caractéristiques inverses. Lorsqu'elles sont associées l'une à l'autre, leurs propriétés s'annulent. Ce processus est similaire à celui qui se produit lorsque deux choses opposées, comme le froid et le chaud, le noir et le blanc… sont mélangées. Leurs propriétés s'annulent et il en résulte une température qui n'est ni chaud ni froid, mais tiède, une couleur qui n'est ni noir ni blanc, mais gris.

En ce qui concerne le mélange d'un acide et d'une base, la résultante est désignée en chimie comme étant un sel neutre ; neutre car il n'a ni des propriétés acides ni des propriétés basiques :

1 acide + 1 base = 1 sel neutre

Un sel neutre n'influence plus le pH de la solution à laquelle il appartient, le sang ou les sérums cellulaires par exemple. Cette possibilité de neutraliser un acide en lui adjoignant une base est ce que l'organisme utilise, en plus de l'élimination des acides par les émonctoires, pour corriger les écarts du pH. La neutralisation des acides rétablit ainsi l'équilibre acido-basique car le pH du terrain, situé à 7,39, est presque neutre lui aussi.

Les substances basiques utilisées par l'organisme pour neutraliser ou tamponner les acides forts non éliminés, mais aussi les acides faibles survenant brusquement en masse, se trouvent un peu partout dans le corps, et non seulement dans le sang comme on le croit souvent. Certes, les bases du sang sont utilisées, mais le pH du sang ne pouvant varier qu'infimement, elles ne seront que peu sollicitées. Le corps recourra par conséquent à des bases se trouvant dans des parties moins importantes de l'organisme, comme les tissus organiques, c'est-à-dire les organes.

Les tissus cèdent donc des bases pour la neutralisation des acides. Lorsque ce système de défense n'est sollicité qu'épisodiquement, les bases cédées peuvent facilement être remplacées par les apports alimentaires en minéraux basiques. Les tissus ne seront ainsi pas lésés par les emprunts. Des problèmes surviennent cependant lorsque les tissus ne sont plus seulement mis à contribution de manière épisodique, mais régulièrement, c'est-à-dire quand les prélèvements de bases ont lieu tous les jours ou même de nombreuses fois chaque jour. Dans ce cas, immanquablement, les réserves de bases se vident peu à peu.

Or, ce que l'on appelle ici *réserve* n'est pas ce que l'on désigne normalement par ce mot. Les minéraux basiques qui y sont contenus ne sont pas spécialement mis de côté et conservés hors des circuits organiques pour les éventuels cas d'acidification qui se présenteraient, mais ce sont des minéraux appartenant aux tissus eux-mêmes et remplissant un rôle précis dans ces tissus.

Des prélèvements répétés entraînent donc nécessairement la perte de ces minéraux basiques, autrement dit, la déminéralisation des tissus organiques. Celle-ci est d'ailleurs d'autant plus forte que le pillage est intense et dure depuis longtemps. À cause de notre mode de vie et d'alimentation, une sollicitation exagérée de notre système tampon est malheureusement courante de nos jours. Elle est à la base d'une foule de troubles, maladies et mal-être dont souffre la population actuelle.

Comment l'organisme tombe-t-il malade ?

Lorsque le terrain s'acidifie, l'organisme peut tomber malade de trois manières différentes.

- La *première* est liée à l'activité des enzymes. Ceux-ci sont les « petits ouvriers » à la base de toutes les transformations biochimiques qui ont lieu dans le corps et dont dépend le bon fonctionnement des organes. Or, les enzymes ne peuvent travailler correctement que dans un environnement au pH bien défini. Dans le cas contraire, leur activité est perturbée ou doit même s'interrompre complètement. Lorsqu'il y a seulement ralentissement, les maladies apparaissent ; en cas d'interruption, le corps ne peut plus fonctionner et meurt. Sans arriver à ce stade extrême, différents troubles s'installent au fur et à mesure que des enzymes plus nombreux sont perturbés dans leur activité par l'acidification du terrain.

- La *deuxième* manière de tomber malade est due à l'agressivité des acides présents en surnombre dans les tissus. En effet, avant d'être neutralisés par des bases, ils irritent les organes avec lesquels ils sont en contact. Il en résulte des inflammations, parfois très douloureuses, mais aussi des lésions ou la sclérose des tissus. Cela concerne avant tout les organes chargés d'éliminer les acides forts, comme la peau et les reins. Une grande partie des eczémas, urticaires, démangeaisons et rougeurs de la peau est due à l'irritation causée par l'acidité excessive de la sueur. Les endroits les plus atteints sont évidemment aussi ceux où la sueur stagne : sous les aisselles, derrière les genoux, sous le bracelet de la montre, ou, pour les bébés, sous les langes (érythème fessier des nourrissons). Lorsque c'est l'urine qui est trop chargée en acides, les mictions sont douloureuses, les voies urinaires « brûlent », s'enflamment vite (urétrite) ou s'infectent (cystite).

Invisible à nos yeux, mais pouvant être ressentie très nettement par les personnes concernées, l'agression des acides provoque des douleurs articulaires (arthrite), des nerfs (névrite) et des intestins (entérite, colite, brûlures anales).

Les tissus étant fragilisés par l'acidité, une infection microbienne ou virale peut facilement se surajouter aux troubles déjà mentionnés, étant donné que les lésions des muqueuses – respiratoires par exemple – laissent aisément les microbes pénétrer dans les tissus et s'y multiplier. Ceci d'autant plus que le système immunitaire peut lui aussi être amoindri par l'action des acides.

• La *troisième* cause de souffrance par l'action des acides est due au fait que toute personne qui s'acidifie se déminéralise inévitablement, puisque le corps doit céder des minéraux basiques pour neutraliser les acides. La déminéralisation peut être importante et toucher n'importe quel organe car des minéraux basiques se trouvent dans tous les tissus. Les troubles de déminéralisation les plus connus touchent le squelette et les dents. Les os se décalcifient, perdent leur résistance et leur souplesse, si bien qu'ils se brisent trop facilement (fracture spontanée du col de fémur), perdent de leur densité (ostéoporose), s'enflamment au niveau des articulations (rhumatismes), rongent les disques intervertébraux (sciatique), etc. Les dents se fragilisent aussi en se déminéralisant. Elles deviennent sensibles aux aliments froids ou chauds, se fissurent, s'effritent ou se carient facilement.

La fragilisation par déminéralisation affaiblit les cheveux qui deviennent ternes et tombent trop abondamment; les ongles se dédoublent et cassent au moindre choc; la peau se dessèche, se fissure ou se crevasse; les gencives se déforment, deviennent sensibles et saignent.

Quelles sont les maladies dues à l'acidification?

L'acidification engendre de très nombreuses affections qui se manifestent de manières les plus variées. Les personnes qui en souffrent ne les contractent évidemment pas toutes, mais seulement quelques-unes en rapport avec leurs faiblesses. La localisation de ces points faibles est déterminée par le tempérament, l'hérédité, les accidents éventuels qu'elles ont vécus, le mode de vie, parfois leur profession. Chez certaines, ce sera avant tout la peau ou les voies respiratoires qui seront atteintes, chez d'autres, les nerfs ou les dents, les gencives, les yeux ou la colonne vertébrale.

Mises à part les maladies déjà citées, l'acidification du terrain conduit à une grande fatigue, qui se manifeste même en dehors de tout effort. Généralement, la personne n'a plus ni l'entrain ni l'enthousiasme à agir, elle se fatigue vite et récupère lentement. Nerveusement, elle est sensible et irritable. Elle se fait trop de soucis et dort mal. Un état dépressif peut aussi se manifester. La nocivité des acides sur les nerfs s'explique facilement puisque les minéraux, comme le magnésium, le calcium et le potassium dont le système nerveux a besoin pour fonctionner correctement, sont justement des minéraux alcalins que l'organisme prélève pour neutraliser les acides.

Les personnes acidifiées sont souvent frileuses, hypotendues et sujettes à des crises d'hypoglycémie. Au niveau des
hormones, toutes les glandes endocrines tendent à ralentir
leur fonctionnement, excepté la glande thyroïde qui passe
en hyperactivité. Quant au système immunitaire, il s'affaiblit aussi et les infections récidivantes des voies respiratoires
(rhume, laryngite, grippe, bronchite) ou urinaires (cystite)
apparaissent avec une fréquence désespérante, d'une part à
cause du manque de défenses, et d'autre part, à cause de la
facilité avec laquelle les microbes peuvent pénétrer dans l'organisme par les microlésions des muqueuses respiratoires et
urinaires.

Les troubles dus à l'acidité sont étonnants de par leur
variété et leur nombre. Il faut cependant se souvenir qu'une
triple action peut les provoquer : les dérèglements enzyma-
tiques, l'agression par les acides et la déminéralisation. Trois
facteurs qui sont susceptibles de porter atteinte à n'importe
quel tissu organique.

Ces troubles ne sont bien sûr pas causés uniquement par
les acides. Ils peuvent également avoir d'autres sources. Par
exemple, le saignement des gencives peut être provoqué par
une mauvaise hygiène buccale ou un manque de vitamine C.
Une personne souffrant d'acidité sera cependant le plus souvent simultanément ou successivement atteinte de plusieurs
de ces affections. Toutefois, aussi variés et différents qu'ils
puissent apparaître, ces troubles peuvent être soignés par un
traitement unique : *la désacidification du terrain.*

Beaucoup de gens souffrent-ils d'acidose ?

La plus grande partie de la population souffre de troubles d'acidification, car le mode de vie et d'alimentation actuel favorise l'acidification du terrain.

En général, l'alimentation courante est principalement composée d'éléments acides ou acidifiants (protéines, céréales, sucres). Les aliments basiques, comme les légumes par exemple, sont consommés en quantités bien moindres. Les bases qu'ils contiennent ne suffisent donc pas pour neutraliser les acides excédentaires. De plus, la consommation d'excitants, comme le tabac, le café, le thé et l'alcool, a pris des proportions énormes. Or, ces produits ont tous un effet fortement acidifiant sur l'organisme. Le stress, la nervosité, le bruit, le manque de temps… sont assez généralisés de nos jours et contribuent aussi à augmenter l'acidification du terrain par les dérèglements et perturbations métaboliques qu'ils engendrent.

Aujourd'hui, l'exercice physique – qui pourrait jouer un rôle important pour maintenir l'équilibre acido-basique – est le plus souvent pratiqué soit de manière excessive, soit de manière insuffisante (sédentarité). Dans les deux cas, il en résulte une acidification du terrain.

De tous ces facteurs d'acidification, le plus important est sans aucun doute l'alimentation. Ainsi, la plupart des gens souffrant d'acidose pourraient être soignés uniquement par une forte réduction de leur consommation d'acides et une augmentation des aliments basiques. Il existe cependant une catégorie spéciale de personnes qui n'est pas seulement malade à cause d'un mode de vie inadéquat et d'un apport excessif d'acides, mais qui, en plus, souffre d'une faiblesse métabolique face aux acides.

Qu'est-ce qu'une faiblesse métabolique face aux acides ?

Un certain nombre de maladies sont dues à la difficulté qu'éprouve l'organisme à métaboliser correctement une substance nutritive ou une autre. Ces dernières, non transformées ou seulement de manière incomplète, stagnent dans l'organisme et le rendent malade en l'empoisonnant ou en le gênant dans son fonctionnement. Dans le diabète par exemple, la substance mal métabolisée est le sucre ; dans les rhumatismes, les protéines ; dans l'obésité, les graisses ; dans la coeliakie, le gluten ; dans la rétention d'eau, le sel. Il existe encore d'autres substances que l'organisme peut ne pas bien métaboliser, et parmi elles figurent les acides.

Lorsque l'on parle de faiblesse métabolique face aux acides, il s'agit avant tout des acides faibles. Ils sont normalement faciles à oxyder et leur élimination par les poumons, sous forme de vapeur d'eau et de gaz carbonique, rend disponibles les bases fortes auxquelles ils étaient liés. Généralement, les aliments riches en acides faibles, tels les fruits, le petit-lait, le yogourt, le vinaigre, apportent une foule de bases à l'organisme. Mais cela n'est vrai qu'en général, puisqu'il existe une catégorie de gens qui oxyde mal les acides faibles.

Chez ces personnes, les acides ne sont pas ou très mal oxydés et restent, par conséquent, dans l'organisme sous forme acide. Elles s'acidifient donc avec des aliments qui alcalinisent les autres gens ! Selon l'organisme dans lequel il pénètre, un même aliment peut avoir un effet différent, ce qui explique pourquoi certains diététiciens affirment par exemple que le citron est alcalinisant, alors que d'autres prétendent avec tout autant de bonne foi qu'il est acidifiant. Tous deux ont raison. La seule erreur est qu'ils ne précisent pas si l'organisme qui le reçoit est atteint ou non d'une faiblesse métabolique face aux acides.

Par conséquent, les gens souffrant de cette faiblesse doivent prendre des précautions supplémentaires par rapport à leur alimentation. Il est nécessaire qu'ils soient très mesurés avec les aliments riches en acides faibles et qui, dans ce livre, sont classés comme « aliments acides » (voir chapitre III).

Habituellement, le groupe des « aliments acides » ne figure pas dans les classifications indiquées pour aider les gens à maintenir leur équilibre acido-basique. Les aliments y sont généralement divisés en deux groupes seulement : acidifiants et alcalinisants. Or, parmi les aliments alcalinisants figurent des aliments acides puisque, avec leurs acides faibles, ils ont un effet alcalinisant sur la majorité des gens. Mais au niveau pratique, l'absence d'une troisième liste (aliments acides) peut engendrer de graves problèmes chez les personnes souffrant de faiblesse métabolique face aux acides. Ces dernières peuvent en effet consommer de grandes quantités de fruits, de vinaigre, etc., dans le but d'alcaliniser leur terrain, et ainsi arriver exactement au but inverse !

Comment guérir les troubles d'acidification ?

Ces troubles ne doivent pas être traités chacun séparément, mais tous ensemble en agissant sur le terrain. C'est en effet ce dernier qui est responsable des différents symptômes de surface (les maladies), et c'est aussi en agissant sur lui – en le désacidifiant – que l'on peut le plus sûrement faire disparaître les troubles qu'il a engendrés.

Se limiter à soigner les troubles de surface soulagerait certes, mais n'aurait que peu d'effets à long terme puisque le problème fondamental réside dans les profondeurs du terrain. Ne traiter que les symptômes obligerait le malade à courir d'un spécialiste à un autre : chez le dermatologue pour les eczémas, chez le rhumatologue pour les articulations douloureuses, chez le dentiste pour les gencives, etc., alors qu'un traitement de fond unique, *la désacidification du terrain,* agirait sur la racine du mal de l'ensemble de ces troubles et les soignerait tous.

Le traitement mis en œuvre pour désacidifier le terrain vise d'abord à tarir les apports d'acides. Cette mesure est indispensable car tant que des acides pénètrent en masse dans l'organisme, les autres mesures n'ont qu'un effet palliatif momentané. Le mode d'alimentation sera corrigé de telle manière que les aliments et les boissons basiques représentent une part nettement plus importante que celle des aliments acidifiants. Les réformes alimentaires sont simples à effectuer, mais elles ont un effet considérable car, au lieu de recevoir quotidiennement une masse d'aliments qui acidifient le terrain, l'organisme n'en reçoit plus que de petites quantités.

Une meilleure oxydation des acides sera obtenue en introduisant des activités physiques dans le mode de vie (marche, sport…), et l'élimination des acides déjà présents dans les tissus sera intensifiée grâce à la consommation de plantes médicinales diurétiques (pour les reins) et sudorifiques (pour la peau).

Une mesure supplémentaire – qui s'est montrée indispensable dans la plupart des cas – est la prise de préparations minérales basiques pour aider l'organisme non seulement à éliminer les acides ingérés dans la journée, mais aussi, et surtout, à faciliter l'évacuation des acides logés dans les profondeurs tissulaires. Cette mesure est fondamentale car l'organisme n'aime pas faire remonter dans le sang – pour les conduire aux émonctoires – les acides incrustés dans les tissus, car leur retour dans le sang modifierait dangereusement son pH. Ces acides ont donc la fâcheuse tendance à être maintenus au fond des tissus dans le but d'en préserver le sang. Cependant, un apport important de bases permet de les éliminer, car tamponnés par elles, les acides peuvent remonter en surface sous forme de sels neutres, c'est-à-dire une forme qui ne porte pas atteinte au pH sanguin.

Les différentes mesures entreprises pour désacidifier le terrain, et qui seront expliquées en détail dans ce livre, font progressivement remonter et sortir tous les acides logés dans les tissus. Avec le temps, ce nettoyage conduit à une désacidification en profondeur du terrain, ce qui non seulement guérit la personne qui les applique, mais la préserve aussi de toute récidive de ses troubles.

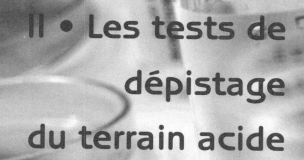

II • Les tests de dépistage du terrain acide

Comment savoir si son terrain est acide ou non? Il existe plusieurs tests qui sont aisés à faire et à interpréter par chacun. Le plus important est sans aucun doute le premier, celui de la mesure du pH urinaire. Le plus souvent cependant, le résultat doit encore être confirmé par un autre test.

Bien que deux tests utilisés de façon complémentaire suffisent au professionnel pour déterminer si un terrain est acide, il est intéressant de les effectuer tous car chacun d'eux amène à découvrir une autre facette de soi, et surtout à prendre conscience concrètement des éléments qui entrent en jeu pour rendre l'organisme acide.

Test 1 : Analyse du pH urinaire

Le test du pH urinaire est simple à effectuer et donne des informations très intéressantes sur l'état d'acidification du terrain. Il consiste à mesurer le pH de l'urine avec du papier tournesol, c'est-à-dire un papier spécialement conçu pour effectuer ce genre de mesure.

↗ Pourquoi le pH de l'urine renseigne-t-il sur le pH du terrain?

Pour rester en bonne santé, le corps cherche à se débarrasser des acides excédentaires qui irritent et déminéralisent ses tissus. Une des portes de sortie principales qu'il utilise à cet effet est le système rénal. Or, le taux *normal* d'excrétion des acides par les reins est connu et donne aux urines un pH se situant entre 7 et 7,5. En testant le degré d'acidité des urines, on peut donc déterminer si le corps rejette des quantités d'acides normales ou non. Si le taux d'excrétion est plus élevé que la normale, le pH urinaire sera également plus acide, signe d'un trop plein d'acides dont le corps cherche à se débarrasser. Mais ce trop plein signifie aussi que le terrain organique est saturé et, par conséquent, qu'il est acide, avec tous les inconvénients que cela peut avoir sur la santé.

Il existe donc une correspondance étroite entre le pH acide du terrain et celui de l'urine: l'urine devient acide lorsque le terrain est acide. Mais la valeur de ce test ne s'arrête pas là. Comme nous le verrons plus loin, suivant quand et combien souvent le pH urinaire est neutre ou alcalin, il est possible de tirer d'autres conclusions intéressantes sur l'état du terrain et la manière dont le corps métabolise les acides.

↗ Matériel nécessaire

Pour mesurer son pH urinaire, le seul matériel nécessaire est du papier tournesol que l'on peut acquérir dans les magasins diététiques, les drogueries et les pharmacies.

Ce papier possède des qualités spécifiques qui lui font changer de couleur lorsqu'il est en contact avec des acides ou des bases. La teinte qu'il adopte en fonction des substances avec lesquelles il est en contact permet de déterminer leur caractère acide ou alcalin. Il indique même si l'acidité d'une substance est faible, moyenne ou forte, car la modification de la teinte de départ est d'autant plus grande que la substance tend vers un pH extrême.

Le nom du papier tournesol ne provient pas de la fleur bien connue, mais du colorant bleu violet tiré d'un arbuste de la famille des Euphorbiacées : le *croton*, ou celui d'un lichen des côtes rocheuses de la Méditerranée, l'*orseille*. Le colorant a la propriété de virer vers le rouge sous l'action des acides et vers le bleu sous celle des bases.

Les différentes teintes du dégradé qu'adoptera le colorant permettent de mesurer le degré d'acidité ou d'alcalinité d'un produit. À chaque dégradé correspond un pH précis. Sa valeur ne se trouve cependant pas inscrite sur le papier tournesol même, mais sur une échelle colorimétrique de repères vendue

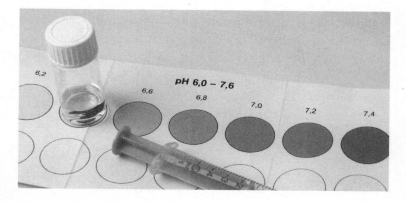

avec lui. Cette échelle comprend toutes les couleurs du dégradé, avec, en face de chacune, le pH correspondant.

Les papiers les plus courants permettent de mesurer le pH entre 4,5 et 9 pour les échelles les plus étendues, et entre 5,2 et 7,4 pour les autres. Les changements nets d'une teinte à une autre se font soit toutes les moitiés d'unité, ce qui donne une échelle du type 4,5 – 5 – 5,5 – 6, etc., soit tous les 2 à 4 dixièmes : 5,2 – 5,5 –5,8 – 6,2... Les deux systèmes sont suffisamment précis pour la pratique du test du pH urinaire.

↗ Les différents papiers tournesol

Toutes sortes de papiers sont disponibles dans les commerces. Dans les pharmacies et drogueries, on peut acquérir ceux de marque Neutralit Merck (DM5) ou AMES et par Internet les «pH test strips» de pHion balance dont la précision va jusqu'au quart d'unité[1]. Mais il existe de nombreux autres papiers, joints aux mélanges de minéraux basiques commercialisés pour corriger le pH du terrain (cf. chapitre VI).

Le papier se présente soit sous forme d'un rouleau que l'on déchire au fur et à mesure des besoins, soit de petits rectangles déjà découpés à la grandeur voulue, soit encore de petits bâtonnets sur lesquels est collé le papier réactif.

Le dégradé de couleurs change avec les marques : il va du jaune au bleu pour les uns, du jaune au rouge pour les autres. Le passage d'une teinte à une autre sur un même papier est suffisamment net pour qu'il n'y ait pas de confusion possible. Cependant, certaines marques offrent des bâtonnets sur lesquels se trouvent simultanément trois dégradés de couleurs différentes afin d'en faciliter la lecture.

---

[1] www.energiseforlife.com ou www.phionbalance.com

↗ Comment procéder ?

Le papier tournesol devant être mis en contact avec le produit à tester, le plus simple consiste à le mettre pendant une à deux secondes dans le jet urinaire, c'est-à-dire juste assez de temps pour l'humidifier. L'acide de l'urine agit alors sur le papier qui changera de couleur.

Il est ensuite approché de l'échelle colorimétrique et mis en face de la couleur similaire figurant sur l'échelle. À côté de cette couleur se trouve le chiffre du pH urinaire correspondant. Rappelons qu'il est neutre à 7, qu'à 6,5 et en dessous, il est acide, et qu'à 7,5 et au dessus, il est alcalin.

Cependant, une seule mesure n'est pas suffisante pour tirer des conclusions valables sur l'état du terrain. En effet, le pH peut varier au cours de la journée en fonction de l'activité, des repas, des efforts physiques, du stress, etc. Pour être représentatives, les mesures doivent être effectuées plusieurs fois par jour et plusieurs jours de suite (4 à 5 jours). Les données recueillies sont consignées dans un tableau (cf. ci-contre) pour obtenir une image globale du pH dans le temps.

La première urine du matin n'est pas révélatrice du pH habituel d'une personne parce que, généralement, elle est plus acide que les autres. En effet, elle contient tous les acides filtrés par les reins et accumulés au cours de la nuit. Le premier test débute donc avec la deuxième miction du matin. Le deuxième test est à effectuer avec les urines qui précèdent le déjeuner, et le troisième avec celles qui précèdent le repas du soir. Il est important de pratiquer le test avant les repas car le pH peut varier momentanément de manière importante selon les aliments et les boissons consommés. Mises à part ces trois mesures principales, le pH peut aussi être mesuré et noté à d'autres moments de la journée et servir ainsi de complément d'information.

Le tableau sur lequel sont inscrites les mesures du pH urinaire comporte cinq colonnes :

Date	Matin	Midi	Soir	Remarques
1.	7	7,5	7	Dîner au restaurant
2.	5	6,5	6,5	
3.	7	7,5	6	Après-midi : stress au travail
4.	7	7,5	7	

La première colonne est réservée aux dates des mesures, les trois suivantes aux valeurs de matin, midi et soir (miction d'avant les repas). La cinquième colonne est réservée aux remarques. Elle permet de noter d'éventuels faits marquants qui pourraient avoir une incidence sur le pH. Par exemple, un repas spécialement copieux ou sortant de l'ordinaire, un dîner au restaurant, une consommation d'alcool, une surcharge de travail, une activité sportive, un stress important, des problèmes ou tensions divers. Il est à signaler que les effets de ces événements sur le pH urinaire n'apparaissent pas toujours le jour même, mais parfois le lendemain en modifiant une ou deux mesures de pH par rapport aux mesures habituelles.

Un tel tableau est facile à dessiner soi-même. Toutefois, un tableau prêt à l'emploi se trouve en annexe, que nous conseillons de photocopier pour toujours disposer d'un modèle de référence vierge.

Après une ou deux semaines, les données sont suffisantes pour faire apparaître un pH prédominant pour la journée (ou pour chaque moment de la journée). Mises à part quelques variations dues aux changements dans les habitudes ou aux incidents de la journée, cette valeur reste constante dans le temps.

↗ Comment interpréter les résultats ?

Les mesures du pH aboutissent à trois résultats possibles : soit le pH est en dessous de 7, soit entre 7 et 7,5, soit au-dessus de 7,5. Si l'interprétation du pH inférieur à 7 est simple car il indique toujours que le terrain est acidifié, il n'en va pas de même avec les deux autres mesures qui demandent une petite analyse supplémentaire.

• pH inférieur à 7 (= pH acide)

Un tel pH témoigne d'une acidité urinaire. Et des urines régulièrement acides révèlent immanquablement un terrain acide lui aussi. Cette acidification est d'autant plus importante que le pH est bas. À 6 ou 6,5, le terrain n'est que légèrement acidifié, mais il est très acide si le pH urinaire atteint 5 ou 4,5.

Le terrain acide engendre des troubles typiques de l'acidification. Il est alors conseillé d'adopter sans tarder les mesures de désacidification exposées plus loin.

• pH entre 7 et 7,5 (= pH neutre)

Il s'agit du pH normal chez une personne en bonne santé, et c'est donc vers ce pH qu'il faut tendre. À première vue, il indique que la personne est en bonne santé et possède un bon équilibre acido-basique. Cela est vrai, mais à une condition : il faut que la première urine du matin soit acide. Les mesures n'étant effectuées qu'à partir de la deuxième miction de la journée, il est possible que la première soit aussi neutre, ce qui ne devrait pas être le cas. Chez toute personne en bonne santé, la première urine du matin, ayant accumulé les acides de l'élimination nocturne, doit obligatoirement être acide.

Si elle ne l'est pas, cela signifie que les reins n'éliminent pas correctement les acides. Le pH reste ainsi constant tout au long de la journée, au lieu de se modifier. Mais n'étant pas éliminés en suffisance, les acides restent dans l'organisme et, par conséquent, le terrain est acidifié. La confirmation de ce fait peut être obtenue en effectuant les autres tests proposés dans ce chapitre (test des aliments, des symptômes, etc.). En résumé, un pH urinaire neutre indique l'état d'équilibre santé par rapport aux acides et aux bases si la première urine est acide. Dans le cas contraire, le terrain est acide et la personne devrait appliquer les mesures nécessaires pour le désacidifier, en insistant sur l'élimination des acides par les reins et par la peau. En effet, dans ce cas particulier, une part importante du problème réside dans la faiblesse d'élimination de ces organes.

• pH supérieur à 7,5 (= pH alcalin)
L'interprétation de ce pH alcalin, c'est-à-dire régulièrement au-dessus de 7,5, doit être nuancée, comme c'était le cas avec le pH neutre. Trois variantes peuvent se présenter.

1 • Le terrain est en équilibre acido-basique ou tend vers une légère alcalinisation. De manière générale, cet état se manifeste lorsque l'alimentation est particulièrement alcalinisante, comme c'est le cas chez certains végétariens qui consomment peu de céréales et de produits laitiers. Leur alimentation est donc presque exclusivement composée d'éléments basiques. Il s'instaure également lorsque quelqu'un consomme quotidiennement des compléments de minéraux basiques alors qu'il n'en a pas besoin ou pas en quantités aussi importantes. Il s'agit donc de situations particulières qui ne sont pas synonymes de déséquilibre ou de maladie.
Les dispositions à prendre sont les suivantes. Les végétariens devraient veiller à ne pas se carencer, notamment

en protéines, à cause de leur régime généralement trop pauvre en ce nutriment. Quant au second groupe, il est conseillé de diminuer les apports de compléments basiques, de façon que le pH urinaire devienne neutre (cf. chapitre VI).

2 • Les personnes qui ont un pH urinaire nettement au-dessus de 7,5 souffrent d'un dérèglement glandulaire (glandes surrénales ou parathyroïdes) ou d'autres maladies particulières. Ces cas sont extrêmement *rares*, et les personnes concernées sont généralement déjà suivies médicalement pour les troubles engendrés par ce déséquilibre.

3 • Le groupe le plus courant comprend des personnes dont l'urine est alcaline, mais dont le terrain, au contraire, est acide. C'est un aspect déroutant au premier abord, mais qui s'explique. Ici, le pH alcalin de l'urine est dû non pas à des apports excessifs de bases par l'alimentation (dont le corps chercherait à se débarrasser, comme il le fait pour les excès d'acides), mais à des *prélèvements* surabondants de bases dans les tissus organiques, prélèvements importants et excessifs qui sont nécessaires pour neutraliser une forte acidification du terrain.

Ce problème est courant chez les personnes souffrant d'une faiblesse métabolique face aux acides. Mal oxydés, les acides ne quittent pas l'organisme par les voies respiratoires. Les voies rénales doivent alors prendre le relais et faire face à un double travail d'élimination. Pour peu qu'eux aussi soient faibles, les acides s'accumulent dangereusement dans l'organisme, qui recourra massivement au système tampon pour neutraliser l'avalanche d'acides auxquels il doit faire face. Cette surcharge a pour conséquence d'amener beaucoup de bases dans les urines et ainsi à les alcaliniser.

Les urines ne sont donc pas alcalines à cause d'un gain organique en bases, mais à cause d'une forte perte de bases par pillage de réserves. Cela peut aisément être confirmé. Il suffit d'analyser les maladies qu'une personne dans ce cas contracte pour se rendre compte que ses troubles appartiennent bien à ceux dus à l'acidification. Il est donc important de désacidifier le terrain malgré l'alcalinité des urines.

• Cas particuliers
Il arrive que le pH ne soit pas uniforme au cours de la journée, comme dans les cas précités, mais varie régulièrement à des moments particuliers. Par exemple, le pH urinaire est régulièrement acide le soir, alors qu'il est neutre le reste de la journée (première urine exceptée), ou vice versa

Quelles que soient les variantes possibles, le fait que le pH soit parfois nettement acide indique la présence d'un trop plein d'acidité dans le terrain et montre la nécessité, ici aussi, de désacidifier le terrain.

Tableau récapitulatif de l'interprétation des résultats du pH urinaire

pH	qualité de l'urine	qualité du terrain	Remarque	Dispositions à prendre
inférieur à 7	• acide	• acide	• mode de vie acidifiante ou faiblesse métabolique face aux acides	• désacidifier le terrain
de 7 à 7,5	• neutre	• neutre	• bonne santé, si 1e urine du matin acide	• maintenir l'hygiène de vie actuelle
		• acide	• si 1e urine du matin aussi neutre, car insuffisance métabolique face aux acides	• désacidifier le terrain et stimuler les reins et la peau
supérieur à 7,5	• basique	• basique	• chez le végétarien ou si prise excessive de minéraux basiques	• maintenir l'hygiène de vie, attention aux carences en protéines; • diminuer les apports de minéraux basiques
		• acide	• insuffisance métabolique face aux acides	• désacidifier le terrain

Test 2 : Analyse des symptômes

L'agression des tissus par les acides et le pillage des réserves minérales basiques engendrent des troubles typiques. Un des moyens pour découvrir si quelqu'un possède un terrain acidifié consiste donc tout logiquement à analyser si les troubles dont il souffre actuellement, mais aussi ceux qui l'ont atteint dans le passé, font partie ou non des affections qui accompagnent inévitablement l'acidification du terrain.

La liste ci-dessous débute avec la description de symptômes généraux et se poursuit avec les troubles classés en fonction de la partie du corps auxquelles ils appartiennent.

Si une personne ne souffre que d'un ou deux des troubles mentionnés, le terrain n'est probablement pas acide, ou il l'est, mais les affections ne se sont pas encore manifestées. Le test du pH urinaire devrait être fait pour en savoir plus.

Bien sûr, une personne acidifiée ne sera jamais affectée de tous les troubles mentionnés, mais seulement d'une partie d'entre eux. En lisant leurs descriptions, elle en reconnaîtra un certain nombre comme étant des maladies contractées dans le passé, et d'autres comme celles dont elle souffre actuellement. Elle se reconnaîtra également une tendance dans ce sens sans nécessairement souffrir des maladies en question. Par exemple, elle peut avoir une tendance à la peau sèche ou des douleurs articulaires, sans pour cela vraiment souffrir d'eczémas ou de rhumatismes.

↗ État général

Manque d'énergie – sensation constante de fatigue – perte du tonus physique et psychique – diminution de l'activité – apparition prématurée de la fatigue – difficulté à récupérer après un effort – sensation de lourdeur des membres – fréquents « coups de pompe » – défaillance énergétique subite après la consommation d'aliments acides.

Abaissement de la température corporelle – sensation de froid intérieur intense et profond – frilosité. Perte de poids spécifique par dégradation calcique des os.

Tendance aux infections par diminution des défenses organiques.

↗ État psychique

Perte de l'entrain, de l'élan et de la joie de vivre. Tristesse – idées noires – tendance dépressive. Grande irritabilité – extrême sensibilité nerveuse. Nervosité – agitation stérile – hyperémotivité. Sensibilité et tressaillement aux bruits aigus – souvent stressé, supporte mal le stress.

↗ Tête

Grande pâleur (due à la contraction des capillaires) – maux de tête – yeux larmoyants et sensibles (au froid, à la fumée) – conjonctivite – kératite – blépharite.

↗ Bouche

Salive acide – déchaussement des dents – gencives enflammées et sensibles – aphtes – fissures aux coins des lèvres – irritation amygdalienne et pharyngée qui conduit à des infections récidivantes.

↗ Dents

Sensibilité et agacement des dents lors de la consommation d'aliments froids, chauds ou acides. Caries dentaires – fissures ou effritements des dents – névralgies dentaires migrantes.

Les acides agressent les dents de l'extérieur (par les aliments acides et la salive acide) et par l'intérieur (sang acide).

↗ Estomac

Acidité stomacale – renvois acides – spasmes et douleurs stomacales – gastrites – ulcères…

↗ Intestins

Débâcles intestinales libératrices d'acides – brûlures rectales – prédisposition aux inflammations des intestins (entérite, colite) – décoloration des selles par épuisement hépatique – fistules, fissures anales – tendance diarrhéique – crampes et douleurs abdominales.

↗ Reins – vessie

Urine acide – irritations et brûlures vésicales et urtérales – polyurie par irritation rénale…

↗ Voies respiratoires

« Goutte au nez » – extrême sensibilité des voies respiratoires au froid – tendance aux refroidissements – rhumes et bronchites fréquents – sinusite – angine – laryngite – hypertrophie des amygdales – végétations adénoïdes – tendance allergique – toux et raclement de gorge par irritation.

↗ Peau

Sueur acide – peau sèche – peau rouge et irritée dans les régions à forte sudation (aux plis des membres, au niveau de la ceinture, sous le bracelet de la montre ou sous les bagues qui noircissent) ou autour des ouvertures et émonctoires (yeux, bouche, anus, vulve) – fissures et crevasses entre les doigts et autour des ongles – mycose – urticaire – démangeaisons – boutons – eczémas divers, mais le plus souvent secs.

↗ Ongles – cheveux

Les ongles s'amincissent, se dédoublent et se cassent facilement – striures des ongles – tâches blanches sur les ongles. Les cheveux sont ternes, se dédoublent (fourchettes) et tombent en quantité trop importante.

↗ Muscles

Crampes et spasmes (dans les jambes) – tendance à la spasmophilie, au lumbago, au torticolis, aux courbatures – muscles de la nuque et des épaules durs et douloureux.

↗ Système osseux et articulaire

Déminéralisation et décalcification du squelette : ostéoporose – ostéomalcie – rachitisme. Tendance aux fractures (col du fémur…) et lenteur de leur consolidation. Craquement des articulations – hyperlaxité ligamentaire – blocages vertébraux – rhumatismes – arthrose – arthrite – sciatique – glissement des vertèbres – hernie discale, etc. Inflammation et sclérose des ligaments, tendinite – douleurs articulaires migrantes – douleurs lombaires – goutte.

↗ Système circulatoire

Hypotension – mauvaise circulation – frilosité. Tendance à l'anémie et aux hémorragies – engelures – tachycardie.

↗ **Glandes endocrines**

Épuisement et hypofonction des glandes en général, sauf de la thyroïde qui a tendance à accélérer.

↗ **Organes génitaux**

Inflammation des voies génitales par les acides et infections (prurit, érythème, métrite, vulvite) – pertes blanches.

↗ **Système nerveux**

Sensibilité accrue à la douleur en général – névralgie tenace ou migrante – insomnie – névrite (tennis-elbow).

Test 3 : Analyse de l'alimentation

Les acides n'apparaissent pas spontanément dans l'organisme, mais ont une source bien précise : ils proviennent des apports alimentaires, c'est-à-dire de tout ce que nous mangeons, buvons et avalons (médicaments, drogues…).

Les acides sont en partie déjà formés et contenus dans les aliments, comme c'est le cas avec la rhubarbe, le citron…

aliments auxquels ils confèrent leur goût acide. D'autres acides par contre ne se forment qu'au cours des métabolismes. Ils résultent de la dégradation des protéines (acide urique, phosphorique…), des graisses (acide gras, acide acétylacétique…), des hydrates de carbone (acide pyruvique, succinique…), etc. Ils ne sont donc pas contenus sous forme acide dans les aliments, mais apparaissent ultérieurement.

L'analyse du mode d'alimentation d'une personne permet de déceler la proportion des aliments alcalins et acidifiants qu'elle consomme. Si les apports de bases sont supérieurs à ceux des acides, l'organisme ne risquera pas de perdre son équilibre acido-basique. Au contraire, il sera même soutenu dans ses efforts pour le maintenir grâce aux excédents de bases.

Dans le cas contraire cependant, lorsque les apports acides sont supérieurs à ceux des bases, le déséquilibre acido-basique est dangereusement compromis et l'organisme ne reçoit que peu d'aide de la part des aliments pour le rétablir. Il devra alors rechercher l'équilibre tout seul en utilisant ses propres systèmes de régulations, c'est-à-dire en oxydant, transportant et éliminant les excès d'acides.

L'analyse de l'alimentation est donc utile pour vérifier si la quantité d'aliments acidifiants est supérieure ou inférieure à celle des aliments basiques. Pour ce faire, il faut d'abord établir le menu standard de la personne concernée, c'est-à-dire un menu quotidien représentatif de son mode d'alimentation habituel.

On notera ainsi tout ce qu'elle consomme depuis le réveil matinal jusqu'au moment où elle se couche : ce qu'elle boit et consomme au lever, le petit-déjeuner, la collation de 9 ou 10 heures, le déjeuner, sans oublier l'éventuel pain qui l'accompagne, le dessert et le café qui clôt le repas, le goûter de 16 heures, le dîner, ainsi que les boissons ou aliments ingérés au cours de la soirée. Pour certaines personnes, il faut encore rajouter tout ce qu'elles grignotent entre les repas et aux pauses (sucreries diverses, biscuits, bonbons).

Il est clair que les repas importants, celui de midi et du soir par exemple, ne sont pas toujours identiques. Ils apparaissent même comme variant beaucoup. En réalité, ils peuvent être ramenés à deux ou trois variantes principales. En effet, dans un repas composé d'une protéine, d'un farineux et d'un légume, le fait que la protéine soit du veau, du bœuf ou du poulet ne change pas vraiment la composition du repas. Il s'agit d'une viande, par opposition au fromage ou à un œuf.

Dans l'exemple de menu standard fictif donné ci-dessous, l'heure des repas est arbitraire car elle ne sert qu'à indiquer le repas. Les différentes variantes d'un même repas sont séparées pas un « soit ». Il faut éviter d'aller trop dans les détails lorsque cela n'est pas nécessaire. Par exemple : « légumes cuits » ou « crudités » est suffisant car (sauf s'il s'agit de tomates), que ces légumes soient des carottes ou du chou, ce sont des aliments alcalins et c'est ce qui nous importe ici. Par contre, boisson ou dessert serait trop imprécis, car ceux-ci peuvent être acidifiants ou alcalinisants selon leur composition.

Il faut ensuite mettre en évidence les trois sortes d'aliments d'une manière ou d'une autre, afin de pouvoir les distinguer aisément.

Dans notre exemple,
• les aliments acidifiants sont indiqués en caractères normaux,
• les aliments basiques en *italiques,*
• les aliments acides sont <u>soulignés</u>.

Les listes de ces trois différentes sortes d'aliments se trouvent aux pages 67, 72 et 75.

Exemple de menu standard

6h30 :   soit : *1 grand verre d'eau* <u>citronné</u>
          soit : café noir

7h00 :   soit : pain complet (3 tranches) + *beurre* + confiture
                 + 2 cafés + *lait* et 2 sucres par tasse
          soit : flocons de céréales + *lait* + <u>1 fruit frais</u>
                 + *infusion menthe sans sucre*
          soit : <u>yogourt nature</u> + <u>jus d'orange</u>

9h00 :   soit : <u>1 pomme</u>
          soit : café + 1 croissant
          soit : 1/2 plaque de chocolat
          soit : *amandes + raisins secs*

Boisson : soit : *1 litre d'eau* dans la matinée
          soit : 2 à 3 cafés + crème + sucre

12h00 :   soit : 1 viande + 1 farineux + *1 légume* + 1 flan +
                 1 café + crème + sucre
          soit : 1 sandwich jambon + 1 limonade industrielle
          soit : 1 céréale + *légumes cuits + salade*
          soit : poisson + *pommes de terre + crudités* + <u>fruit frais</u>

Boisson :   *eau* ou vin ou limonade ou sirop ou *infusion tilleul sans sucre*

16h00 :   soit : pain + chocolat
          soit : pâtisserie + café
          soit : biscuit + thé avec 1 sucre
          soit : limonade
          soit : <u>fruit frais</u>
          soit : *fruits secs + eau*

19h00 : soit : omelette avec 2 œufs + pain bis + *salade verte*
           soit : *soupe de légumes maison* + biscottes + gruyère
           soit : charcuterie + pain blanc + vin
           soit : tarte aux fruits + *crème chantilly* + café avec crème et sucre

21h00 : soit : cacahuètes ou amandes ou biscuits
           soit : *1 verre de lait*
           soit : <u>1 yogourt nature</u>

Une fois le menu standard établi, il apparaît plus nettement quelles sortes d'aliments prédominent. Pour les personnes ayant une faiblesse métabolique face aux acides, il faut déterminer si les aliments acidifiants et acides prédominent sur les aliments basiques. Pour les autres, vérifier si les aliments acidifiants prédominent sur ceux qui sont basiques et acides (ces derniers étant alcalinisants pour eux). Pour être tout à fait précis, il faudrait encore tenir compte des quantités, mais celles-ci peuvent être estimées approximativement. Il n'est en effet pas difficile de se rendre compte si, par exemple, les légumes servis avec une protéine et un farineux représentent la plus petite partie du repas ou si elle est quantitativement plus abondante. Des analyses détaillées de menus standards sont indiquées au chapitre V.

Test 4 : Analyse du mode de vie

Mis à part le mode d'alimentation, la manière de vivre au cours de la journée, pendant les loisirs, sur le lieu de travail, etc., influe aussi l'équilibre acido-basique. Il est difficile de dire jusqu'à quel point un comportement ou une activité cesse d'être bénéfique pour devenir acidifiante. C'est pourquoi, dans le tableau ci-dessous, ces comportements sont présentés de manière *caricaturale*.

L'analyse du mode de vie seule ne peut déterminer si le terrain est acide ou non, elle doit par conséquent être utilisée en complément aux autres tests.

Tableau des modes de vie acidifiants et alcalinisants	
Acidifiant	Alcalinisant *(maintenant l'équilibre acido-basique)*
vie sédentaire	vie active
prend l'ascenseur	monte à pied les escaliers
se déplace essentiellement en voiture	se déplace le plus possible à pied
loisirs passifs	loisirs actifs
vit beaucoup à l'intérieur	vit beaucoup à l'extérieur
stressé	calme, sait prendre son temps
vie agitée, court tout le temps	vie calme et organisée
sommeil insuffisant	dort assez
sommeil agité, insomnie	sommeil calme et réparateur
fumeur	non-fumeur
négatif	optimiste
tendance colérique, irritable	paisible et patient
agressif, envieux, jaloux	confiant, serein

Test 5 : Vérification expérimentale

Si l'acidification de l'organisme provoque l'apparition de nombreux troubles, la désacidification du terrain doit logiquement entraîner leur disparition. Celle-ci aura bien sûr lieu progressivement. Elle débutera avec les troubles fonctionnels, légers, récents, superficiels, pour continuer avec les troubles lésionnels, graves, profonds et anciens. Ce processus permet de vérifier si les troubles dont souffre quelqu'un sont dus à l'acidification du terrain ou non. Il suffit d'observer les effets engendrés par une rapide et superficielle désacidification du terrain, processus qui sera expliqué ci-dessous. En effet, si les troubles facilement réversibles, c'est-à-dire guérissables en peu de temps, comme l'irritation nerveuse, la fatigue chronique, les inflammations cutanées, les rougeurs, les brûlures, les démangeaisons... s'atténuent de manière importante ou disparaissent après quelques jours de désacidification (5 à 10 jours environ), c'est qu'ils ont été engendrés par les acides. Par contre, si cette cure d'alcalinisation n'entraîne pas de mieux-être notable, les troubles ont vraisemblablement une autre cause que l'acidification du terrain.

Une telle désacidification rapide et superficielle est obtenue par un apport massif de minéraux basiques, sous forme, très facilement assimilable, de citrates alcalins. Ces bases sont dosées de manière à ce que l'apport fasse remonter un pH acide de 5 ou 6 jusqu'à une valeur normale de 7 à 7,5.

La manière de procéder est expliquée en détail au chapitre VI. En deux mots, elle consiste à commencer le test par la prise, 3 fois par jour, d'une demi-cuillerée à café de poudre de citrates alcalins ou 3 x 3 comprimés, avec de l'eau, avant chaque repas, puis à augmenter progressivement les doses jusqu'à ce que le pH urinaire remonte à 7 ou 7,5. Une fois la dose idéale trouvée, elle est maintenue pendant les 5 à 10 jours que dure le test. Une prise supérieure de citrates alcalins – qui se traduirait par un pH supérieur à 7,5 – est inutile car le corps ne peut pas les utiliser. Il les rejettera rapidement dans les urines sans en profiter.

Les personnes dont le pH urinaire est supérieur à 7 peuvent également faire ce test car, comme expliqué précédemment, un pH urinaire supérieure à 7 ne signifie pas nécessairement que le terrain n'est pas acide. Le dosage sera fixé directement à 3 x 2 cuillerées à café rases de poudre par jour ou 3 x 6 comprimés.

L'atténuation rapide des troubles signifie que le corps est malade à cause d'un manque de bases et, par conséquent, que le terrain est acide.

Test 6 : Dépistage des états de faiblesses métaboliques face aux acides

Ce test est plus spécialement prévu pour déterminer si une personne souffre d'une faiblesse métabolique face aux acides ou non. Il est basé sur les mêmes principes que le test précédent, mais au lieu de déboucher sur la prise de bases, il consiste à effectuer momentanément un apport plus important d'acides. Ces derniers sont d'origine alimentaire et proviennent non pas des aliments acidifiants, mais des aliments acides : fruits, vinaigre, petit lait. En effet, les acides de ces aliments sont avant tout mal métabolisés chez les gens souffrant de faiblesse métabolique. Un apport accru d'acides doit donc nécessairement faire apparaître des troubles chez eux.

Le test ne consiste cependant pas à les rendre malades, mais seulement à augmenter momentanément leur consommation d'acides pour observer si les troubles d'acidification dont ils souffrent déjà empirent ou non. Effectivement, avec l'apport plus important d'acides, les douleurs articulaires doivent augmenter, les rougeurs cutanées s'étendre, la fatigue s'accentuer, la nervosité s'amplifier, les brûlures urinaires s'accroître, les démangeaisons s'intensifier, etc.

Par conséquent, le test consiste à consommer en quantités généreuses des fruits frais, des jus de fruits, yogourts, petit-lait, etc., et cela pendant 1 ou 2 jours. Cette durée est généralement suffisante pour constater l'aggravation des symptômes. Chez les personnes très sensibles, les effets négatifs des acides se manifestent parfois déjà dans la demi-heure ou l'heure qui suit leur consommation. Un sentiment profond de mal-être apparaît, une brusque fatigue se manifeste (coup de pompe) et leurs dents sont déjà « agacées » par l'agression des acides.

Heureusement, il n'est souvent même pas nécessaire de faire ce test. Il suffit de chercher dans ses souvenirs ce qui s'est passé dans des situations similaires. Des effets négatifs se sont-ils manifestés après une forte consommation de fruits, à la saison des abricots par exemple, ou après l'emploi d'une quantité importante de vinaigre, de yogourt, etc. Si des cures de raisins, de jus de citron, etc. ont été effectuées dans le passé, quels ont été leurs effets ? Ont-elles été bénéfiques sur l'état général, redonnant des forces et faisant disparaître des maladies ? Ou, au contraire, les symptômes se sont-ils accentués et la vitalité s'est-elle atténuée ?

Dans le premier cas, il n'y a pas d'incapacité métabolique face aux acides, et l'acidification est avant tout due aux aliments acidifiants· et au mode de vie. Par conséquent, les aliments acides peuvent être consommés car ils ont un effet alcalinisant.

Dans le second cas par contre, la faiblesse métabolique est bien présente. Elle est plus ou moins intense selon que l'aggravation des symptômes était forte ou non. Dans ce cas, il faut non seulement veiller aux quantités d'aliments acidifiants consommés, mais aussi à celles des aliments acides.

Deuxième partie

Comment se désacidifier par l'alimentation?

Introduction

L'alimentation est la source principale des acides et des bases qui déterminent l'équilibre ou le déséquilibre acido-basique de l'organisme. Il est donc indispensable de bien connaître les propriétés des aliments, c'est-à-dire de savoir précisément, pour chacun d'eux, s'ils ont un effet acidifiant ou alcalinisant sur nous.

Dans les chapitres consacrés à l'alimentation, l'étude des aliments sera abordée en trois étapes.

Au chapitre III seront d'abord présentés les trois grands groupes dans lesquels les aliments peuvent être répartis, à savoir : aliments acidifiants, alcalinisants et acides. Cette division n'est pas courante – généralement, on ne distingue que deux groupes – mais elle a sa raison d'être puisqu'elle introduit le groupe des aliments acides que les gens souffrant d'une faiblesse métabolique face aux acides doivent absolument connaître.

Le caractère acidifiant ou alcalinisant des aliments pouvant varier énormément pour un même genre d'aliments, par exemple d'un fruit ou d'une céréale à l'autre, la division générale sera encore affinée au chapitre IV. Ainsi, les différents genres d'aliments et les boissons seront abordés les uns après les autres et leur caractère fortement, moyennement ou peu acidifiants défini de manière plus précise, afin qu'un choix plus judicieux puisse être effectué lors de l'établissement des menus.

Dans un troisième temps (chapitre V), des menus proprement dits seront examinés. Des exemples de repas courants, de petit-déjeuner, collation de 9 heures, déjeuner, goûter, dîner, seront d'abord indiqués pour montrer le caractère généralement très acidifiant de ces repas. Puis, des menus alcalins afin d'illustrer de manière pratique comment concevoir les repas pour retrouver son équilibre acido-basique.

III • Les aliments acidifiants, alcalinisants et acides

Les aliments que nous consommons peuvent être divisés en trois grands groupes : les aliments acidifiants, alcalinisants et acides.

Les deux premiers groupes sont définis en fonction de *l'effet* que les aliments ont sur le corps – effet acidifiant ou alcalinisant – alors que dans le troisième groupe, ils le sont en fonction de la caractéristique même de l'aliment, c'est-à-dire de son goût acide, sans considération de son effet sur l'organisme. Pourquoi cette différence ?

Autant que possible, les caractéristiques des aliments devraient toujours être définies en fonction de leurs effets sur l'organisme, plutôt que de leurs qualités intrinsèques, car ce sont les effets qui intéressent les personnes qui se préoccupent de leur santé. Un aliment peut en effet présenter des caractéristiques alcalines, mais avoir un effet acidifiant. C'est le cas du sucre blanc, utilisé pour rendre moins acide le goût fortement acidulé des fruits, par exemple de la rhubarbe ou du cassis. Si cette neutralisation est réelle au niveau du goût, elle ne l'est pas au niveau de l'organisme. Lorsqu'il est métabolisé, le sucre blanc produit de nombreux acides, il est donc fortement acidifant. En thérapeutique, il est important de connaître cet effet qui est déterminant.

Une grande erreur en diététique consiste à ne considérer que les analyses chimiques des aliments et de croire que l'organisme bénéficiera forcément des substances nutritives mentionnées dans l'analyse.

En réalité, « *l'aliment n'a aucune valeur en soi : il n'en a une qu'en fonction du tube digestif qui va le recevoir* » (P.-V. Marchesseau). Comment définir la qualité d'un aliment tel que l'herbe, par exemple, puisqu'il est un bon ou un mauvais aliment selon qu'il entre dans un tube digestif d'une vache ou dans celui d'un être humain ! Il en va de même pour les aliments propres à l'homme : les légumes crus sont bénéfiques pour une personne en bonne santé, mais non pour un malade souffrant d'entérite ou de colite. Pour ce dernier, la rugosité des fibres des légumes consommés irritera encore plus son tube digestif déjà enflammé. Les produits laitiers sont bénéfiques pour la plupart des gens, mais non pour ceux qui sont allergiques au lactose, etc.

Connaître les effets qu'auront les aliments est donc fondamental, et les deux premiers groupes, celui des aliments acidifiants et alcalinisants, comprennent chacun des produits classés en fonction de leurs effets observés sur des organismes vivants (des malades ou des gens consommant de tels aliments).

En revanche, le troisième groupe comprend des aliments dont l'effet ne peut pas être défini clairement et de manière définitive, comme c'est le cas avec les deux premiers. Il varie effectivement selon la présence ou non d'une faiblesse métabolique face aux acides. Ces aliments, avant tout les fruits, le

petit-lait et le vinaigre, sont alcalinisants sur l'organisme métabolisant correctement les acides faibles, mais acidifiants sur
celui qui souffre d'une faiblesse métabolique face aux acides.
Ne pouvant être définis par leurs effets, ces aliments sont définis par leurs caractéristiques propres qui sont d'être acides au
goût, comme chacun peut le constater en les consommant.

Généralement, les aliments de ce troisième groupe sont
associés à ceux des aliments alcalinisants, car tel est leur effet
sur la majorité des gens. Mais il est erroné d'adopter une telle
classification, d'une part, parce qu'elle ne correspond pas
entièrement à la réalité, et d'autre part, parce que les personnes
qui se soucient de leur équilibre acido-basique présentent pour
la plupart une faiblesse métabolique face aux acides. Pour eux,
la connaissance de ce troisième groupe est donc fondamentale.

La connaissance de ces trois groupes permet donc de choisir sans risque d'erreur les aliments qui nous sont nécessaires
pour rétablir l'équilibre acido-basique. Le choix des aliments
se fait selon les principes généraux suivants :

↗ Pour les personnes métabolisant correctement les acides :
   *les quantités d'aliments alcalinisants et acides doivent être
   supérieures à la quantité d'aliments acidifiants.*

↗ Pour les personnes souffrant d'une faiblesse métabolique
   face aux acides : *la quantité d'aliments alcalinisants doit
   être supérieure aux quantités d'aliments acidifiants et
   acides.*

Deux remarques s'imposent ici. Premièrement, plus une
personne souffre de troubles par acidification ou d'une faiblesse métabolique prononcée face aux acides, plus les quantités d'aliments alcalinisants doivent être importantes par

rapport aux autres. En effet, si les proportions de ces deux genres d'aliments peuvent être de 50 % chacune chez une personne en équilibre acido-basique, elles doivent être de 60, 70, voire 80 % d'aliments alcalinisants chez les autres.

Supprimer totalement, ou trop fortement, les aliments acidifiants ne serait pas un bon calcul, car dans ce groupe se trouvent des aliments riches en protéines (œufs, produits laitiers, viandes, poissons…). Or, un apport adéquat de protéines est indispensable pour que les minéraux basiques soient correctement fixés dans les tissus. Ces derniers ont besoin de protéines pour produire une bonne trame tissulaire dans laquelle les minéraux seront retenus. Dans le cas contraire, une partie des minéraux basiques quitteront le corps et ne seront ainsi plus disponibles lorsque l'organisme en aurait besoin pour neutraliser les acides.

Deuxièmement, plus une personne souffre de troubles par acidification ou d'une faiblesse métabolique prononcée face aux acides, plus la nécessité de consommer une proportion importante d'aliments alcalins s'impose, et ceci à chaque repas. De cette manière, la neutralisation des acides alimentaires, ou ceux produits au cours des digestions, pourra se faire directement avec les bases apportées au repas.

Cet apport représente une aide précieuse pour l'organisme, car sans lui, les acides alimentaires quitteraient l'intestin pour pénétrer dans le corps, qui serait alors obligé de puiser dans ses réserves tissulaires les bases nécessaires à leur neutralisation. Il en résultera une déminéralisation de l'organisme et l'apparition de troubles d'acidification.

Les personnes ne souffrant pas de faiblesse métabolique face aux acides sont moins soumises à cette nécessité de consommer davantage de bases que d'acides. Elles disposent de bonnes réserves de bases qui peuvent facilement être sollicitées de temps à autre pour neutraliser les acides provenant d'un repas exclusivement ou presque exclusivement composé d'aliments acidifiants.

Les aliments acidifiants

Les produits acidifiants sont principalement les aliments riches en protéines, en hydrate de carbone ou en graisses.

Les aliments acidifiants

- la viande, la volaille, la charcuterie, les extraits de viande, le poisson, les fruits de mer (moules, crevettes...)
- les œufs
- les fromages (les fromages forts sont plus acides que les doux)

- les corps gras animaux (saindoux, suif...)
- les huiles végétales, surtout l'arachide et les huiles raffinées ou durcies (margarine)

- les céréales complètes ou non : blé, avoine..., surtout le millet
- le pain, les pâtes, les flocons et les aliments à base de céréales

- les légumineuses : arachide, soja, haricot blanc, fève..
- le sucre blanc
- les sucreries : sirop, pâtisserie, chocolat, bonbon, confiture, fruits confits...

- les fruits oléagineux : noix, noisette, pépin de courge, etc. (sauf amande)
- les boissons industrielles sucrées : limonades à base de cola et autres

- le café, le thé, le cacao, le vin

Les aliments riches en protéines (viande, produits laitiers et légumineuses) sont acidifiants car d'une part, leurs transformations digestives produisent des *acides aminés* et, d'autre part, parce qu'une fois utilisées par les cellules, les protéines engendrent des produits de dégradation acides. L'acide urique, par exemple, est une toxine bien connue. Celle-ci provient principalement des protéines qui servent à la construction du noyau des cellules. Autrement dit, elle se trouve dans les aliments constitués de cellules, comme les chairs animales. Contrairement à la viande et au poisson, si les produits laitiers n'apportent pas d'acide urique, c'est parce que le lait et les fromages ne sont pas des tissus animaux. De plus, les acides aminés essentiels dont sont constituées les chairs animales contiennent toujours du phosphore et du soufre, deux minéraux acides.

Bien que n'étant pas constituées de tissus animaux, les légumineuses (soja, pois chiche, etc.) amènent beaucoup d'acide urique car elles sont riches en purines. Alcalines en soi, ces purines sont en effet transformées en acide urique pour être éliminées. La présence de grandes quantités de purines dans le café, le thé et le cacao explique que ces boissons ainsi que le chocolat sont acidifiants.

Le caractère acidifiant des aliments riches en corps gras (graisse animale utilisée pour la cuisson, graisse contenue dans les chairs animales, huile de friture...) est double. Premièrement, les corps gras sont utilisés par l'organisme sous forme d'*acides gras*, et deuxièmement, les acides gras saturés – dont les aliments d'origine animale sont riches – sont difficiles à métaboliser. Lorsque leur utilisation et les transformations qu'ils subissent se font de façon incomplète, ils engendrent des substances toxiques et acides : acétones, acides acétylacétique et bêta-hydroxybutyrique, etc. Ces substances, qui sont des déchets et des résidus métaboliques provenant de la dégradation des graisses, n'apparaissent que lorsque la dégradation se fait mal, contrairement aux acides gras qui résultent naturellement et inévitablement de la digestion des graisses. Leur consommation étant de manière générale trop élevée de nos jours, l'acidification par les graisses est chose courante.

Le caractère acidifiant des hydrates de carbone a le même genre de causes. Sous forme d'amidon, les hydrates de carbone sont des assemblages d'une multitude de molécules de glucose : jusqu'à 250 000, alors qu'il faut quelques centaines d'acides aminés « seulement » pour produire une protéine. Pour être utilisables par le corps, les hydrates de carbone doivent être divisés en fragments de plus en plus petits, pour aboutir finalement à leur élément constitutif de base : la molécule de glucose.

La production d'acides est surtout le résultat des mauvaises transformations des longues chaînes de glucose. Tout comme les graisses et les protéines, les hydrates de carbones passent par différentes étapes lors de leur transformation, durant lesquelles ils changent de caractéristique, devenant acides alors que, jusque-là, ils étaient basiques. Or, si ces transformations sont interrompues en cours de route, l'organisme s'acidifie car les substances intermédiaires acides ne seront pas retransformées en substances basiques, comme cela devrait normalement se passer en fin de processus. De nos jours, cette rupture est courante car la suralimentation en hydrate de carbone (pain, céréales, pâtes, biscuits) est très importante et dépasse le plus souvent les possibilités organiques. Et peu importe que les céréales soient raffinées ou non, le problème reste fondamentalement le même.

Si les céréales sont acidifiantes, les graines germées ne le sont pas. En effet, à cause de la transformation radicale de leur composition au cours de la germination, ces graines sont considérées comme des aliments alcalinisants et classées avec les légumes verts. Il ne s'agit effectivement plus vraiment de graines, mais de jeunes pousses, plus ou moins vertes selon le moment où on les consomme. Ceci est également valable pour les légumineuses germées (soja, haricot, lentille, pois chiche…).

Le sucre blanc, qui est constitué de deux molécules seulement (glucose et fructose), est acidifiant pour une raison différente de celle des hydrates de carbone des céréales. Son caractère acidifiant, et celui des aliments qui en contiennent (confiture, bonbons, chocolat, biscuits…), provient du fait qu'il est raffiné, exempt de tout oligoélément, vitamine et enzyme ; il est donc généralement mal transformé. En effet, l'organisme ne peut céder indéfiniment des masses de vitamines et d'oligoéléments pour opérer la transformation du sucre en énergie. Ceci d'autant plus que la consommation annuelle de sucre blanc dépasse les 40 kg par personne. Les transformations s'arrêteront donc à des stades intermédiaires acides. Ainsi, si le sucre blanc raffiné et tous les aliments qui en contiennent sont fortement acidifiants, alors que les sucres des fruits et légumes (carottes, betteraves) ne le sont pas, c'est que ces derniers contiennent dans leurs tissus tous les oligoéléments, vitamines et enzymes nécessaires à leur transformation. Pour les mêmes raisons, le sucre intégral, c'est-à-dire le jus de canne à sucre évaporé, n'est pas non plus acidifiant. Les sucres bruns, par contre, ont subi un ou plusieurs procédés de raffinage qui les ont privés d'une partie de leurs vitamines et oligoéléments. Par conséquent, ils sont acidifiants, et ceci d'autant plus qu'ils sont proches du sucre blanc, le plus acidifiant de tous. Le fructose, ou sucre de fruit que l'on trouve dans le commerce, est également dépourvu de toute vitamine et donc acidifiant.

Les fruits oléagineux (sauf l'amande et les noix du Brésil) sont tous acidifiants, qu'il s'agisse de noix, de noisettes, de noix de cajou, de noix de pécan, de noix de coco, ou encore des graines de santé : graines de tournesol, pépin de courge, sésame, etc. Leur caractère acidifiant est dû à leur forte teneur en graisses, protéines, phosphore et soufre. Dans le choix des aliments, il faut cependant prendre en considération l'aspect quantitatif. Quelques graines de tournesol n'acidifient pas autant l'organisme que 100 ou 200 g de viande, bien que ces aliments figurent tous deux dans la liste des aliments acidifiants.

De par leurs caractéristiques, ces aliments sont acidifiants pour tout le monde. Ils ne ressemblent pas aux aliments acides, qui sont acidifiants ou alcalinisant suivant les capacités organiques individuelles. Au contraire, la manière dont l'organisme utilise les aliments acidifiants conduit inévitablement à la production d'acides. Il est donc conseillé de faire attention à leur consommation si l'on veut éviter d'acidifier son organisme. Cependant, faire attention ne signifie pas les réduire au maximum ou les supprimer. Il faut seulement éviter que la quantité des aliments acidifiants soit supérieure à celle des aliments alcalinisants. Et ceci de manière générale au cours de la journée, ou mieux, à chaque repas.

Les aliments alcalinisants

Les aliments alcalinisants sont principalement composés par les légumes verts, colorés (sauf la tomate) et les pommes de terre.

Ces aliments sont alcalinisants d'une part parce qu'ils sont riches en bases et ne contiennent pas ou très peu de substances acides, et d'autre part parce qu'ils ne produisent pas d'acides lorsqu'ils sont utilisés par l'organisme. Même si leur consommation est quantitativement importante, aucune production d'acides ne se fait, et ceci quelles que soient les capacités métaboliques de la personne qui les consomme. De même que les aliments acidifiants sont acidifiants pour tout le monde, de même les aliments alcalinisants sont alcalinisants pour tous. Ce sont avant tout ces aliments que les personnes atteintes de déséquilibre acido-basique doivent manger.

Les aliments alcalinisants

- les pommes de terre
- les légumes verts, crus ou cuits : salades, laitue, haricot vert, chou...
- les légumes colorés : carotte, betterave... (sauf tomate)
- le maïs (graines ou polenta)
- le lait (liquide ou en poudre), le fromage blanc bien égoutté, la crème, le beurre
- les bananes
- les amandes, les noix du Brésil
- les châtaignes
- les fruits secs : dattes, raisins (sauf ceux acides au goût : abricots, pommes...)
- les eaux minérales alcalines
- les boissons à la purée d'amande
- les olives noires conservées dans l'huile
- l'avocat
- l'huile pressée à froid
- le sucre intégral

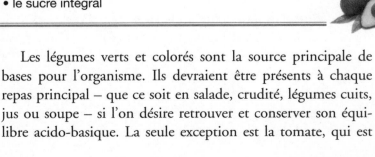

Les légumes verts et colorés sont la source principale de bases pour l'organisme. Ils devraient être présents à chaque repas principal – que ce soit en salade, crudité, légumes cuits, jus ou soupe – si l'on désire retrouver et conserver son équilibre acido-basique. La seule exception est la tomate, qui est très acidifiante aussi bien crue que cuite. Botaniquement parlant, elle n'est en réalité pas un légume, mais un fruit.

La pomme de terre est bien connue pour ses vertus anti-acidifiantes puisque son jus est recommandé pour lutter contre l'acidité d'estomac et les ulcères. Sa richesse en bases en fait un aliment de premier choix contre l'acidification de l'organisme. Étant un aliment farineux, elle est nourrissante et remplace avantageusement les céréales, qui sont acidifiantes. Autrement dit, le régime de désacidification doit comporter plus souvent des pommes de terre que des céréales.

Un autre aliment nourrissant, très intéressant pour combattre l'acidité, est la châtaigne. Comme la pomme de terre, c'est un farineux, donc un aliment fournissant du carburant énergétique. Mais une fois de plus, ce carburant n'est pas acidifiant, comme le sont les céréales. Les châtaignes se cuisent au four ou à l'eau, et se mangent avec des légumes. La recette la plus connue est le chou rouge aux châtaignes. Comme les pommes de terre, les châtaignes accompagnent bien le fromage. Attention aux purées de châtaignes qui sont souvent sucrées.

De tous les fruits, la banane est le seul qui soit vraiment alcalinisant, car sa teneur en acide est si faible qu'elle n'acidifie jamais, même lorsqu'elle est consommée en grandes quantités ou régulièrement. Les autres fruits par contre, même ceux qui sont très peu acides, comme les melons, contiennent tout de même des acides, ce qui fait que plus on en mange, plus ils peuvent avoir un effet acidifiant.

De manière générale, les fruits secs (dattes, raisins...) sont alcalinisants parce qu'en séchant, une partie de leurs acides est oxydée. Ils le sont cependant moins s'ils ont été mis à sécher avant maturité, comme c'est souvent le cas avec les abricots et les pommes. Le caractère alcalin des fruits secs se perd un peu lorsqu'ils sont traités au soufre pour favoriser leur conservation.

L'amande et les noix du Brésil sont les seuls fruits oléagineux à être alcalinisants. Ils pourront être mangés tels quels, en morceaux ou râpés, associés aux salades, aux légumes ou aux desserts. Dans les magasins diététiques, on trouve une pâte d'amande non sucrée qui, mélangée à de l'eau, permet de constituer un lait d'amande, boisson très agréable et très alcalinisante.

Les olives noires, conservées à l'huile d'olive, sont alcalinisantes, contrairement à celles, noires ou vertes, conservées avec de la saumure vinaigrée.

Le sucre intégral n'est pas alcalinisant à proprement parler, c'est-à-dire qu'il n'alcalinise pas le terrain si l'on en consomme beaucoup, mais pris modérément, il ne l'acidifie pas non plus comme le font les autres sucres. La même remarque est valable pour le maïs, le lait, le fromage blanc égoutté, la crème, le beurre, etc. qui, pris modérément, n'acidifient pas l'organisme.

L'eau a généralement un pH de 7. Si elle est fortement chlorée, elle devient acide. L'eau minérale gazéifiée est également acide, car le gaz utilisé est de l'acide carbonique. Les principales eaux minérales alcalines, c'est-à-dire celles dont le pH est supérieur à 7, sont l'eau Limpia (I), Contrexéville et Évian (F) et Henniez bleu (CH).

Les aliments acides

Ce groupe comprend des aliments dont l'effet alcalinisant ou acidifiant dépend des capacités métaboliques de l'organisme dans lequel ils pénètrent. Ils sont donc désignés non par leur effet (puisqu'il ne peut être défini à l'avance), mais en fonction de leur caractéristique propre qui est acide.

Ces aliments contiennent beaucoup d'acides, d'où leur goût. Ces acides sont faibles, ce qui veut dire que pour les gens qui peuvent les oxyder facilement, ils se transforment en bases et alcaliniseront par conséquent l'organisme. Chez les personnes qui souffrent d'une faiblesse métabolique face aux acides, les nombreux acides de ces aliments ne sont pas oxydés ; ils auront donc un effet acidifiant.

Les principaux aliments acides sont les fruits, le petit-lait et le vinaigre.

Les aliments acides

- le petit-lait : yogourt, lait caillé, kéfir, fromage blanc peu égoutté…

- les fruits pas mûrs (moins le fruit est mûr, plus il est acide)

- les fruits acides :

    petits fruits : groseilles, cassis, framboises, fraises

    agrumes : citron, pamplemousse, mandarine, orange

    certaines variétés de pommes (cloche), de cerises (griotte),

    de prunes, d'abricots…

- les fruits doux (surtout en excès) : melon, pastèque…

- les légumes acides : tomate, rhubarbe, oseille, cresson

- la choucroute, les légumes lacto-fermentés

- les jus de fruits, le jus de citron (dans la sauce à salade !)

- le miel

- le vinaigre

Le goût faiblement acidulé des pommes et des poires, ou fortement acide des citrons et des groseilles à grappes, indique leur plus ou moins grande teneur en acides. Pour ces aliments, le sens du goût peut être utilisé pour déceler le taux d'acidité. Il est aussi bon de savoir que moins un fruit est mûr, plus il est acide ; les fruits arrivant à hypermaturité étant les moins acides. Il suffit de penser aux abricots qui sont très acides avant maturité, même si leur couleur est déjà orange, mais qui sont alcalins lorsqu'ils deviennent mûrs et mous « comme de la confiture ». À l'intérieur d'une même espèce de fruits, par exemple des pommes ou des cerises, le degré d'acidité du fruit varie selon les variétés : les pommes cloches sont plus acides que les Golden, les cerises de la variété griottes plus que les bigarreaux, etc.

Le fait de consommer le jus des fruits plutôt que leur chair ne les rend pas moins acides. Au contraire, les minéraux alcalins se trouvent avant tout dans la pulpe, ils y demeurent lorsque le fruit est pressé. Ils ne sont donc généralement plus présents dans le jus et ne peuvent, par conséquent, pas en neutraliser l'acidité. La consommation de fruits sous forme de jus fausse aussi l'appréciation que l'on peut avoir des quantités consommées. Si peu de gens mangent plus de deux oranges à la fois, la plupart d'entre eux boiront facilement deux à trois verres de jus d'oranges, soit l'équivalent de 6 à 8 oranges !

La cuisson des fruits ne diminue pas non plus leur acidité. Dans la plupart des cas, elle l'augmente car une partie des vitamines et des enzymes sont alors détruites. De plus, les fruits cuits sont souvent additionnés de sucre blanc dont le caractère acidifiant est bien connu.

Le cas du petit-lait est un peu particulier. Cet aliment, qui est la partie liquide du lait qui a caillé par fermentation, est un liquide jaune clair, transparent. On le trouve dans le fromage blanc peu égoutté, dans les yogourts (le liquide qui remplit la cavité lorsqu'on prélève une cuillerée de yogourt ferme à la surface du pot), dans le kéfir, etc. Frais, le petit-lait est alcalin, mais après une ou deux heures, il devient acide. Il en résulte avant tout de l'acide lactique, c'est-à-dire un acide qui, comme ceux des fruits, est relativement facilement oxydé et transformé en base, pour autant que l'organisme en question ne souffre pas d'une faiblesse métabolique face aux acides. Si c'est le cas, les acides ne sont pas métabolisés et contribuent à acidifier le terrain. Le petit-lait âgé, le yogourt et le kéfir sont donc des aliments à surveiller, au même titre que les fruits, si l'on souffre d'une déficience métabolique face aux acides.

La fermentation acide utilisée pour fabriquer le yogourt peut également être appliquée à des légumes ou des jus pour faciliter leur conservation. Les produits obtenus sont la choucroute, les légumes et les jus de légumes lacto-fermentés, ainsi que le vinaigre. Pour les mêmes raisons invoquées ci-dessus, ces aliments seront acidifiants pour les gens atteints d'une faiblesse métabolique, mais alcalinisants pour les autres.

Le miel est modérément acide.

Le caractère acidifiant ou alcalinisant des fruits, du petit-lait et du vinaigre est l'objet d'un débat sans cesse renouvelé. Bien entendu, les personnes qui ne souffrent pas de faiblesse métabolique sont convaincues du caractère alcalinisant des fruits, alors que les autres sont persuadées de leur caractère acidifiant puisqu'elles l'ont expérimenté sur elles-mêmes. Cette controverse ne devrait même pas avoir lieu. Ces aliments sont soit acidifants, soit alcalinisants, et comme tels, ils font partie d'un groupe distinct, celui des aliments acides.

Dans les cas extrêmes d'acidification, la suppression des fruits ne doit pas faire craindre, comme certaines personnes le pensent, un apport de vitamines insuffisant. Certes, les fruits sont une extraordinaire source de vitamines, mais les légumes en contiennent beaucoup aussi, très variées. Puisque les légumes doivent former la base de l'alimentation des personnes acidifiées, les quantités consommées couvriront sans problème les besoins en vitamines.

La suppression des aliments acides n'engendre pas de problèmes majeurs, car il ne s'agit pas d'aliments indispensables, comme le sont ceux à caractère acidifiants. Les fruits frais peuvent être remplacés par des fruits secs, les produits laitiers riches en petit-lait par ceux qui en sont exempts, et les produits lacto-fermentés par des légumes frais. En pratique, il est souvent nécessaire pour les personnes souffrant de faiblesse métabolique de supprimer complètement les aliments acides pendant quelques semaines ou mois. Cette restriction n'a jamais engendré de problèmes, si ce n'est des envies gustatives portant sur ces aliments. Mais les bienfaits de la désacidification que permettent ces privations sont tels qu'ils compensent largement les efforts fournis.

La suppression des aliments acides est d'ailleurs rarement définitive, car avec le temps, en se désacidifiant, la tolérance de l'organisme face aux acides augmente. Elle permet ainsi de les réintroduire, bien sûr, en quantités adaptées à chacun.

8 règles pour manger en équilibre acido-basique

Les quelques grands principes auxquels il faut se référer pour choisir de façon adéquate les proportions d'aliments acidifiants, alcalinisants et acides peuvent s'exprimer en 4 règles générales, auxquelles s'ajoutent 4 règles supplémentaires pour les personnes souffrant d'une faiblesse métabolique face aux acides.

↗ Règle 1 • Un repas ne doit jamais être constitué d'aliments acidifiants seulement, mais devrait toujours contenir des aliments alcalins

Un repas de viande et de pâtes, ou de poisson et de riz, avec pour dessert un gâteau accompagné de café, n'est pas un menu recommandé car il est entièrement composé d'aliments acidifiants. Il en va de même pour un repas de pâtes et de sauce tomate associé à un dessert sucré.

En ajoutant à ces repas des légumes sous forme de salades, de crudités ou de légumes cuits, l'apport des bases alimentaires compenserait au moins en partie celui des acides. Ces légumes sont parfois présents aux repas, mais en quantités généralement si réduites que leur effet est négligeable. Ceci nous conduit à la deuxième règle.

↗ Règle 2 • À un même repas, la quantité d'aliments alcalinisants doit être plus importante que celle des aliments acidifiants

Les proportions entre les aliments producteurs de bases et producteurs d'acides doivent toujours se faire en faveur des aliments alcalinisants. De cette manière, les acides pourront être neutralisés au niveau intestinal ou tissulaire sans que le corps n'ait besoin de puiser dans ses réserves.

↗ **Règle 3** • **La proportion des aliments alcalinisants sera d'autant plus importante que l'acidification du terrain est prononcée ou que la personne est métaboliquement faible face aux acides**

Plus l'organisme est épuisé ou faible, moins il a de réserves basiques à disposition du système tampon, et moins il est capable d'oxyder les acides. En lui amenant peu d'acides grâce à une alimentation bien adaptée, l'organisme est soulagé dans ses efforts de maintien de l'équilibre acido-basique.

• **Règle 4** • **Un régime composé exclusivement de végétaux alcalins est possible, mais seulement pendant une période limitée (1 à 2 semaines)**

Un régime exclusivement alcalin, c'est-à-dire composé uniquement de légumes, pommes de terre, banane, amande, etc., ne peut durer indéfiniment car il est carencé en protéines. De tels régimes sont utiles lorsque l'acidification est très importante et que les troubles qui en résultent se manifestent de manière aiguë, violente et douloureuse. La suppression brusque et totale d'acides permet de soulager rapidement le malade pour le ramener plus vite à un équilibre acido-basique normal.

Un régime exclusivement alcalin doit donc rester une mesure thérapeutique de courte durée pour ne pas mettre en danger l'organisme.

À ces 4 règles générales s'ajoutent 4 règles supplémentaires pour les personnes souffrant de **faiblesse métabolique face aux acides**.

• **Règle 5** • **Un repas ne doit jamais être constitué d'aliments acides seulement, mais devrait toujours contenir des aliments alcalins**

Cette règle correspond à la règle n° 1, mais il s'agit ici d'aliments acides et non plus d'aliments acidifiants. Manger exclusivement des fruits, du yogourt, ou boire seulement du petit-lait, est fortement déconseillé, car l'apport d'acide n'est compensé par aucune base alimentaire, ce qui obligera le corps à les puiser dans ses tissus. Les risques de troubles par déminéralisation sont donc très importants. Ils seront d'ailleurs vite ressentis par la personne concernée (baisse soudaine de vitalité, agacement des dents, sensation de froid, démangeaisons, douleurs articulaires…).

Les aliments basiques qui accompagnent bien les fruits frais sont le séré, le fromage blanc, la crème, les amandes, les bananes, les feuilles de salade ou le mélange légumes crus et fruits.

• **Règle 6** • **Les quantités d'aliments acidifiants et acides doivent être adaptées aux capacités métaboliques personnelles**

Les faiblesses métaboliques face aux acides sont rarement totales, mais le plus souvent plus ou moins prononcées suivant les personnes (et les circonstances: stress, fatigue, travail, vacances). Cela signifie que chacun supporte un certain taux d'acides, taux qu'il ne doit pas dépasser sous peine de déborder ses capacités organiques.

Tant que la quantité d'acides engendrée est inférieure à ce taux, le corps arrive à les neutraliser en les oxydant et aucun trouble d'acidification ne se manifestera. Ainsi, certaines personnes très sensibles savent très bien qu'une demie pomme golden leur convient bien, mais pas plus, alors qu'un quart de pomme cloche est déjà trop pour elles. Pour une même personne, un aliment peut donc être acidifiant au-delà d'une certaine quantité, mais alcalinisant ou neutre en quantité inférieure.

Des aliments acides peuvent ainsi tout à fait être mangés par des personnes métaboliquement faibles si elles adaptent la quantité consommée à leur capacité. Le seuil de tolérance à ne pas dépasser est individuel et peut varier dans le temps. Chacun peut le découvrir par l'expérience et l'observation.

• Règle 7 • Les aliments acides ne doivent pas être consommés à une fréquence trop rapprochée

Une personne souffrant de faiblesse métabolique face aux acides, mais qui est en équilibre acido-basique, peut généralement faire face à un brusque apport d'acides en puisant dans ses réserves, si cette consommation est exceptionnelle, par exemple après avoir mangé trop de fruits. En effet, s'agissant d'un prélèvement unique, l'équilibre acido-basique ne sera pas mis en danger et aucun trouble d'acidification n'aura lieu.

Il s'écoulera cependant un certain temps avant que les réserves se soient reconstituées et que l'organisme puisse à nouveau faire face sans dommage à un apport d'acides. Or, si la consommation d'un nouveau fruit apporte des acides supplémentaires avant terme, l'organisme devra à nouveau puiser dans ses réserves déjà diminuées. Celles-ci pourront alors être insuffisantes et l'équilibre acido-basique sera compromis. Des troubles d'acidification apparaîtront, non que l'organisme ne soit pas capable en soi de neutraliser ce fruit – il l'avait fait avec succès la première fois – mais parce que le fruit a été mangé trop rapidement après le premier.

En espaçant les prises de ces aliments difficiles à métaboliser, on augmente sa tolérance personnelle à leur égard. Ce fait est utile à connaître parce qu'il permet d'élargir le choix des aliments à consommer.

• Règle 8 • Les aliments acides doivent être consommés lorsque l'organisme est prêt à les recevoir

Un proverbe arabe dit que « *les oranges sont d'or le matin, d'argent à midi et de plomb le soir* ». Pour les personnes souffrant de faiblesse métabolique, c'est le contraire qui est vrai : les oranges et les fruits en général leur sont néfastes le matin, mais beaucoup plus bénéfiques l'après-midi ou le soir. La raison en est que leur « moteur organique » a eu le temps, une fois l'après-midi arrivé, de se chauffer et de tourner normalement. En effet, certaines personnes sont longues à se réveiller *physiquement* le matin. Le cœur bat plus lentement, la pression sanguine est basse, les échanges cellulaires, donc les oxydations entre autres, se font au ralenti. Ce n'est qu'après s'être activées pendant plusieurs heures et après avoir mangé un repas ou deux, que leur organisme trouve sa vitesse de croisière.

Si une telle personne mangeait des fruits le matin ou buvait un jus d'orange, alors que non seulement elle présente une faiblesse métabolique face aux acides, mais qu'en plus, son organisme travaille encore en dessous de ses capacités réelles, l'oxydation des acides se ferait encore plus mal que d'habitude.

Dans le même ordre d'idée, les aliments acides sont mieux métabolisés en été, par temps chaud et ensoleillé, ainsi que lorsque l'on est reposé, plutôt que fatigué.

IV • Classification des aliments selon leur pouvoir d'acidification

Dans le chapitre précédent, les aliments ont été divisés en trois grandes catégories caractéristiques. À l'intérieur d'une même catégorie, ils ne sont cependant pas uniformément alcalinisants, acidifiants ou acides. Certains le sont plus que d'autres. Par exemple, le riz et le millet appartiennent tous les deux à la catégorie des aliments acidifiants, mais le millet est beaucoup plus acidifiant que le riz. Il est donc possible, pour chaque catégorie, d'affiner encore la classification.

La classification pour laquelle nous avons opté présente les aliments dans un tableau en trois colonnes, dans lesquelles l'accent est mis parfois sur leur caractère alcalinisant et parfois sur leur caractère acidifiant. Dans le premier cas, les aliments alcalins sont divisés en aliments **très** et **peu** alcalinisants, puis acidifiants ; dans le deuxième, en aliments alcalinisants, puis **peu** et **très** acidifiants.

Cette division est utile pour éviter qu'une personne acidifiée ne consomme – pour une raison ou une autre – que des aliments peu alcalinisants, alors qu'elle pourrait tout aussi bien manger des aliments très alcalinisants, ce qui lui profiterait beaucoup plus pour corriger son terrain.

Toutefois, il ne s'agit pas d'une hiérarchisation précise dans laquelle chaque aliment occupe une place déterminée par rapport aux autres, mais d'une classification en grands groupes. En effet, les critères objectifs pour établir une hiérarchie exacte manquent. L'analyse de la composition chimique des aliments parfois utilisée n'en est pas un car elle ne tient pas compte de ce qu'il advient une fois cet aliment ingéré. Comme nous l'avons vu, la digestion et l'utilisation des aliments modifient leurs propriétés. Nous nous sommes donc basés sur l'expérience, c'est-à-dire sur l'observation des effets de ces aliments sur l'organisme.

Ceci dit, nous sommes conscients que certaines personnes verraient mieux un aliment ou un autre dans une colonne différente de celle dans laquelle nous l'avons placé. Cela est normal, car chacun a des faiblesses tout à fait personnelles face aux aliments. Il arrive en effet qu'un aliment soit considéré comme très acidifiant par une personne, alors que pour la majorité des gens, il ne sera que faiblement acidifiant. Dans le doute, chacun sera donc bien inspiré de se rallier à son expérience personnelle plutôt que de se baser exclusivement sur la théorie.

Ces quelques exceptions mises à part, le classement de ces tableaux est valable pour la majorité des gens. Pour les autres, il sera utile pour guider leurs premiers pas, en attendant qu'elles établissent leurs propres tableaux. En d'autres termes, qu'elles découvrent comment individualiser leur alimentation par rapport à leurs possibilités organiques particulières.

Les fruits frais

La classification des fruits frais n'est valable que pour les personnes souffrant de faiblesse métabolique face aux acides, car pour les autres, tous les fruits sont alcalinisants étant donné qu'elles peuvent oxyder leurs acides.

Le tableau ci-contre présume aussi que les fruits considérés sont mûrs, sinon la distinction entre fruits plus ou moins acidifiants ne pourrait être faite puisque dans certains cas, le degré d'acidité d'un fruit alcalinisant, mais pas mûr, peut être égal à celui d'un fruit peu acidifiant, mais très mûr.

Mais qu'est-ce qu'un fruit mûr? À notre époque, la plupart des gens ne possèdent plus de jardin ou de verger. Par conséquent, ils s'approvisionnent en fruits dans les magasins. Or, pour satisfaire les impératifs commerciaux, les fruits sont cueillis bien avant leur maturité. Étant encore verts et durs, ils sont moins fragiles. Ils ne s'abîment donc pas aussi vite lors de la cueillette, ni lors des transports et des stockages répétés qui auront lieu aussi bien chez le producteur, le grossiste, le revendeur que le consommateur. Le fait que les fruits ne soient pas mûrs permet aussi une meilleure gestion des stocks, puisque l'écoulement de la marchandise peut facilement être adapté aux besoins du marché.

La cueillette précoce a pour conséquence néfaste que les fruits n'arrivent jamais à une vraie maturité, celle qui les rend tendres, parfumés, sucrés et juteux. Beaucoup de gens qui, lors d'un séjour à la campagne, ont l'occasion de goûter un fruit qui a mûri sur l'arbre à l'air libre et baigné par les rayons du soleil, n'en reviennent pas de constater combien un fruit peut être bon et différent de ce qu'ils avaient l'habitude de consommer. Ils réalisent aussi combien une véritable maturité des fruits diffère de ce qu'ils considéraient jusqu'alors comme une maturité authentique.

Mise à part la question du goût, la maturation naturelle des fruits amène aussi des modifications très importantes de leur teneur en acides. Celle-ci est nettement inférieure à celles des fruits cueillis avant maturité. Nous avions déjà vu que plus un fruit est mûr, moins il est acide. Il nous faut rajouter maintenant que l'acidité restante est d'autant moins grande que les fruits ont mûri naturellement, donc sur leurs branches.

Pour illustrer ce fait, citons l'exemple de cette patiente qui souffrait d'une faiblesse métabolique face aux acides, et dont la consommation d'oranges, qu'elle aimait beaucoup, lui apportait régulièrement des troubles d'acidification. À son grand étonnement, lors d'un voyage dans un pays producteur d'oranges à l'époque où les oranges étaient mûres, elle put en manger plus d'un kilo par jour sans ressentir le moindre trouble! Ayant atteint leur pleine maturité au soleil, et non dans des entrepôts après avoir été stockées lorsqu'elles étaient encore vertes, ces oranges ne contiennent plus que des quantités minimes d'acides qui sont alors plus facile à métaboliser.

Chaque fruit forme un tout et doit, autant que possible, être consommé entier, c'est-à-dire avec sa peau et ses pépins. Bien sûr, les noyaux des abricots, des cerises, etc., sont trop gros pour être avalés et trop durs pour être digérés par notre tube digestif. Mais les pépins de pommes, d'oranges, de raisins, etc., apportent des éléments dont l'organisme peut tirer profit et qui lui sont utiles pour métaboliser correctement le fruit. En outre, la peau des fruits contient de nombreux minéraux et enzymes qui favorisent la neutralisation des acides de la pulpe. Il est donc erroné de peler les pommes et les poires et de rejeter la peau des figues, des raisins, des pruneaux, etc. Seul la peau des oranges, des clémentines, mais aussi des melons et des grenades… doit être jetée, même si elles ne sont pas traitées en surface.

Les fruits frais peuvent être mangés tels quels ou râpés ; une sorte de fruit à la fois ou en mélange (salade de fruits). Les fruits mûrs étant par nature sucrés, il ne faut pas les saupoudrer de sucre, ceci d'autant plus que le sucre est acidifiant. Il est aussi bon d'éviter de les manger en même temps que les céréales, par exemple dans un müesli (Bircher), car la combinaison des fruits frais et des flocons est très indigeste et engendre le plus souvent des fermentations, grandes productrices de toxines acides.

La cuisson des fruits ne diminue pas leur acidité. Lors de la confection de compotes et tartes, il faut utiliser des pommes mûres et non, comme c'est souvent le cas, des pommes vertes tombées précocement.

Le fait de râper les fruits les rend plus basiques car le contact de la pulpe avec l'air permet à une partie des acides de s'oxyder.

Le seul fruit frais alcalinisant, la banane, n'est pas bien digéré par tout le monde. Une fois de plus, cela provient généralement du fait qu'elle est mangée avant d'être mûre. Une banane mûre possède une chair tendre et sucrée. On peut augmenter sa teneur en sucre en l'écrasant en purée avec une fourchette et en la laissant exposée à l'air une dizaine de minutes avant de la consommer.

Une autre manière de neutraliser l'agressivité des acides des fruits consiste à les consommer avec du fromage blanc, du séré ou de la crème. Le procédé est en fait bien connu et ancré dans les traditions, puisque les petits fruits comme les fraises, les framboises, etc., sont couramment accompagnés de crème fraîche.

Tableau des fruits frais

alcalinisants	peu acidifiants	très acidifiants
	Fruits	
	• pomme : Golden	• cloche, à cidre
	• poire : Williams, Beurrée, Louise bonne	• autres poires
	• raisin	
	• prune	• brugnon, reine-claude
	• abricot très mûr	• abricots autres
	• cerise : bigarreaux	• griotte
	• pêche	
	• figue	
	• mirabelle	
	• melon	
	• pastèque	
	Petits fruits	
	• fraise : grosse, douce	• fraise : petite, acidulée
	• groseille à maquereau	• groseille en grappes
	• myrtille	• framboise
		• cassis
		• argousier
		• prunelle
		• mûre
	Agrumes	
	• clémentine	• mandarine
		• orange
		• citron
		• pamplemousse
	Fruits exotiques	
• banane	• mangue	• ananas
	• grenade	• kiwi
	• kaki	

Les fruits secs

Il s'agit ici d'une catégorie de fruits aqueux qui ont perdu la plus grande partie de leur eau de constitution, donc leur jus, après avoir été mis à sécher au soleil ou dans des fours. Une seule exception : les dattes, qui sont naturellement pauvres en eau et qui ont déjà l'aspect qu'on leur connaît lorsqu'elles mûrissent sur l'arbre.

Les fruits secs étant très doux par nature, ils ne sont généralement pas additionnés de sucre avant la vente, excepté certaines dattes qui sont recouvertes de sirop de glucose.

Bien sûr, plus un fruit frais est mûr et doux avant d'être mis à sécher, plus il sera alcalin après ce processus. D'autre part, l'acidité des fruits frais diminue au cours du séchage grâce à l'oxydation des acides.

La consommation de fruits secs est généralement réduite et beaucoup de gens n'en mangent presque jamais. Étant des aliments alcalinisants, leur consommation devrait être encouragée car elle permet aux personnes sensibles aux acides des fruits frais d'en consommer malgré tout, mais sous une forme appropriée à leur état.

Les fruits secs étant assez concentrés, certaines personnes ne les digèrent pas facilement si elles ne les laissent pas d'abord tremper 12 à 24 heures dans de l'eau pour les réhydrater. Ainsi

Tableau des fruits secs		
alcalinisants	*peu acidifiants*	*très acidifiants*
• raisin sec • abricot doux, séché naturellement • banane • datte	• pruneaux • poire • pomme • pêche • figue • mangue • ananas	• abricot acide soufré

déconcentrés et mangés avec ou sans le liquide dans lequel ils ont trempé, les fruits secs se digèrent facilement.

Mise à part la consommation des fruits secs tels quels ou trempés, on peut aussi faire de délicieux desserts en mélangeant les fruits trempés et leurs jus avec du séré ou du fromage blanc.

Les fruits oléagineux

Comme leur nom l'indique, les fruits oléagineux sont riches en huile ; celle-ci représente en effet environ 50 % de leur poids. Bien des gens les considèrent comme des aliments accessoires et n'en mangent qu'épisodiquement, par exemple lorsqu'ils se trouvent dans un biscuit ou un gâteau.

De tous les fruits oléagineux, deux seulement sont franchement alcalins : les amandes et les noix du Brésil. Mais les vertus alcalinisantes sont avant tout présentes dans les amandes qui devraient, par conséquent, être consommées régulièrement par les personnes acidifiées. Les olives noires sont également alcalinisantes, contrairement aux olives vertes, mais seulement si elles sont conservées à l'huile et non avec une préparation contenant du vinaigre.

Les fruits oléagineux se mangent tels quels, une espèce à la fois ou en mélange, avec ou sans fruits secs. À cause de leur concentration élevée en principes nutritifs, il est préférable de ne pas effectuer de trop grands mélanges pour ne pas compliquer la digestion. Moulus ou râpés, les fruits oléagineux peuvent être ajoutés aux salades de fruits, aux salades et aux crudités, ou répandus sur des tartines beurrées. Dans le commerce, on trouve des purées d'amandes, de noisettes, etc.

Très concentrées, elles sont utilisées comme pâtes à tartiner. Celle aux amandes peut être utilisée pour confectionner du lait d'amande.

Tableau des fruits oléagineux		
alcalinisants	*peu acidifiants*	*très acidifiants*
• amande • noix de Brésil • olive noire (à l'huile)	• noix de cajou • sésame • pignon • noix de coco • olive verte	• noix • noisette • cacahuète • noix de pécan • pistache • pépin de courge • graine de tournesol • olive au vinaigre

Les légumes

Mises à part les tomates et les aubergines qui sont franchement acidifiantes, tous les légumes sont alcalinisants et devraient représenter une partie importante de chacun des repas des personnes acidifiées. Une distinction a cependant été établie ici entre les légumes très alcalinisants et ceux qui le sont moins. Ces derniers ont été placés dans la deuxième colonne, celle des aliments peu alcalinisants. Il s'agit des légumes blancs et soufrés.

Contrairement aux autres légumes, les légumes blancs (céleris, endives…) ne sont pas ou que très faiblement ensoleillés et leur richesse minérale, ainsi que leur capacité de reminéralisation, est moindre.

Quant aux légumes soufrés (radis, oignon…), ils apportent des minéraux capables de reminéraliser les organismes acidifiés, mais également du soufre qui est acide. Chez les personnes sensibles, ce dernier aura non seulement une action légèrement acidifiante, mais également irritante sur les muqueuses digestives qui le reçoivent. Il en ira de même sur les muqueuses respiratoires et la peau qui l'élimineront, organes déjà affaiblis et sensibles chez les personnes acidifiées. Cela se traduira par des perturbations digestives, une toux irritative, des démangeaisons ou des eczémas. Mais, répétons-le, cela ne concerne que les personnes très sensibles et lorsque ces légumes sont consommés en trop grandes quantités.

Légumes blancs et soufrés peuvent donc être consommés, mais pour s'assurer d'une bonne reminéralisation, il est préférable de manger avant tout des légumes verts, colorés, des pommes de terre et certains légumes fruits.

Les légumes se mangent crus, cuits, en soupe ou en jus. Lorsqu'ils sont crus, il faut veiller à ce que la sauce qui les accompagne ne soit pas trop acide pour ne pas annihiler les vertus alcalinisantes des crudités. Souvent, les sauces contiennent trop de vinaigre ou de jus de citron. Cette acidité forte gâche non seulement le goût des légumes, mais acidifie fortement l'organisme des personnes métabolisant mal les acides. Pour elles, le vinaigre et le jus de citron ne se mesurent pas en cuillerées à soupe comme l'huile, mais en cuillerées à café. L'expérience a en outre montré que, le plus souvent, le vinaigre était moins acidifiant que le jus de citron.

Les légumes cuits ne contiennent plus autant de vitamines que les légumes crus, car les vitamines sont en partie détruites par la cuisson. Cependant, la teneur en minéraux – qui nous intéresse avant tout pour rétablir l'équilibre acido-basique – n'est pas altérée par la cuisson à l'étouffée, à la vapeur ou au four. La cuisson à grande eau par contre tend à soustraire des minéraux aux légumes et à les faire passer dans l'eau de cuisson, eau qui sera ensuite rejetée avec ces précieux éléments.

Les légumes peuvent constituer une partie du repas seulement ou la totalité, comme par exemple lorsqu'il s'agit d'une soupe. On ne saurait trop recommander les soupes maison, surtout en hiver, car non seulement elles reminéralisent l'organisme (dans les soupes, l'eau de cuisson riche en minéraux est consommée avec les légumes), mais elles réchauffent aussi les personnes acidifiées qui sont souvent frileuses à cause de la déminéralisation.

Tableau des légumes		
très alcalins	*peu alcalinisants*	*acidifiants*
• pomme de terre		
Légumes verts		

• salades :
     - pommée
     - chicorée
     - scarole
     - laitue
     - dent-de-lion
     - mâche
 • chou vert
 • céleri branche
 • haricot vert
 • fenouil
 • bette (feuilles)
 • artichaut
 • brocoli
 • chou de Bruxelles		

Légumes colorés		
• épinards • carotte • betterave rouge • chou rouge • haricot jaune • patate douce		
Légumes fruits		
• courge • courgette • pâtisson	• avocat	• tomate • aubergine • cornichon au vinaigre
Légumes blancs		
	• endive • salade blanchie • céleri • salsifis • crosne	

très alcalins	peu alcalinisants	acidifiants
	Légumes blancs (suite)	
	• crosne • panais • topinambour • chou-fleur	
	Légumes soufrés	
	• radis • navet • poivron • oignon • ail • échalote • asperge	

Les jus de légumes maison sont les plus bénéfiques car ils sont frais. Quant à ceux du commerce, ils font l'objet de différents procédés de conservation. Le seul auquel les personnes sensibles doivent faire attention est celui de la lacto-fermentation. Il rend la boisson légèrement acide, ce qui est mal supporté par leur organisme. Pour la confection des jus, une seule sorte de légume peut être utilisée ou plusieurs à la fois (cocktail). Dans tous les cas, il est préférable d'utiliser des légumes de culture biologique pour éviter l'absorption de produits chimiques. Si le goût des jus est trop prononcé, ils peuvent être dilués avec un peu d'eau.

Les céréales

Les céréales sont préparées de multiples façons : sous forme de grains entiers (riz, épeautre, etc.), de grains concassés (polenta, couscous, pilpil), écrasés (flocons), ou encore sous forme de farine incorporée aux plats (sauce), de farine panifiée (pain, biscottes, biscuits), ou préparées pour faire de la pâte à gâteau ou des pâtes diverses.

Toutes les céréales et leurs sous-produits sont acidifiants, excepté le maïs. Elles le sont d'autant plus qu'elles ont été raffinées. Par exemple, le riz blanc est plus acidifiant que le riz complet.

De toutes les céréales, le millet est la plus acidifiante. Il est important de le savoir parce que celui-ci est souvent recommandé pour ses vertus reminéralisantes en cas de perte de cheveux, de rhumatismes, etc., à cause de sa haute teneur en silice. Cependant, la silice est un minéral acide puisqu'il se présente sous forme d'*acide silicique*. Les vertus reminéralisantes du millet sont indéniables, mais les personnes sensibles aux acides devraient éviter d'en consommer parce que sa teneur en silice dépasse leurs capacités organiques.

Le pain blanc est plus acidifiant que le pain noir ou complet car, dépourvu de vitamines, d'oligoéléments et d'enzymes pour favoriser sa digestion, il produit – comme le sucre blanc – de nombreux acides. Le pain au levain a également été placé dans la colonne des aliments acidifiants, car le levain utilisé pour faire monter la pâte la rend acide, ce qui peut aisément être vérifié au goût. C'est un excellent pain en soi, mais il est trop fort pour les capacités digestives de beaucoup de personnes, spécialement celles qui sont sensibles aux acides. Il sera par conséquent mal métabolisé.

Tableau des céréales		
alcalinisants	*peu acidifiants*	*très acidifiants*
Grains complets, entiers, concassés ou germés		
• maïs	• blé • riz complet • seigle • orge • épeautre • sarrasin • quinoa • pilpil • semoule complète • crème de riz	• millet • riz blanc • couscous • semoule
Pains		
	• pain complet (sans levain) • pain noir	• pain au levain • pain blanc
Biscottes		
	• biscotte complète	• biscotte à la farine blanche
Pâtes		
	• pâtes complètes	• pâtes blanches
Flocons		
	• flocons de céréales complètes, trempés environ 10 heures • flocons cuits nature (corn flakes)	• flocons sucrés • Bircher sucré • flocons cuits sucrés
Barres de céréales		
	• barre complète et nature	• barre très sucrée ou avec chocolat
Biscuits et gâteaux		
	• biscuit complet simple et peu sucré • pâte à gâteau à la farine complète	• biscuit à la farine blanche avec sucre blanc, chocolat • cake, tarte… • pâte à gâteau à la farine blanche

Le fait de griller ou toaster le pain facilite sa digestion car la cuisson des céréales correspond à une sorte de prédigestion. C'est la raison pour laquelle la croûte du pain est plus facile à digérer que la mie, cette dernière étant moins cuite que la croûte. En cuisant une deuxième fois la mie par le toastage, le pain devient encore plus digeste, ce qui diminue un peu son caractère acidifiant. Pour ces mêmes raisons, les biscottes – entièrement constituées de croûte – sont également moins acidifiantes que le pain frais. Il en va de même pour le vieux pain.

Il existe une différence entre les flocons croustillants et ceux qui ne le sont pas. Comme mentionné précédemment, la cuisson correspond à une sorte de prédigestion. Or, les flocons cuits deviennent croustillants (par exemple, corn flakes), contrairement aux autres qui le sont moins (par exemple l'avoine utilisée pour les müesli).

Les pâtes sont acidifiantes, et ceci d'autant plus lorsqu'elles sont servies avec une sauce tomate, légume acidifiant par excellence. Les pâtes – complètes de préférence – servies nature, avec une sauce blanche ou avec un peu de fromage râpé, remplacent avantageusement les pâtes à la sauce tomate.

Les tartes aux fruits associent plusieurs ingrédients acidifiants : la pâte, le sucre et les fruits, ces derniers n'étant souvent pas mûrs. Il est préférable de ne les consommer qu'épisodiquement, et seulement préparées avec des fruits mûrs ainsi que des amandes râpées ou de la crème pour compenser l'acidité de ce plat.

Les produits laitiers

Le lait entier, cru ou pasteurisé, est alcalinisant. Il devient cependant acidifiant lorsqu'il est stérilisé, upérisé, homogénéisé, etc., parce qu'il devient alors de plus en plus difficile à métaboliser. Bien qu'il soit alcalinisant en soi, il n'est pas recommandé aux adultes d'en boire car ils ne possèdent plus les sécrétions gastriques nécessaires pour faire cailler le lait, comme c'est le cas chez les enfants. Ingéré sous forme de frappé aux fruits, cet inconvénient disparaît cependant puisque l'acidité des fruits fait tourner le lait dans l'estomac. Additionné de chocolat et sucré, le lait devient une boisson acidifiante à cause des ingrédients rajoutés.

Les fromages à pâte dure ou molle sont acidifiants, et ils le sont d'autant plus qu'ils sont gras, forts et âgés.

Lorsqu'il est bien égoutté et consommé sans abus, le fromage blanc est légèrement alcalinisant. Par contre, plus il contient de petit-lait et plus celui-ci est âgé, plus il devient acide. D'ailleurs, non seulement il devient plus acidifiant, mais ses acides lactiques levogyres L+ d'origine sont transformés en acides lactiques dextrogyres D-. Or, ces derniers sont beaucoup plus difficiles à métaboliser par l'organisme qui ne les oxyde que mal, ne possédant pas d'enzyme spécifique pour les transformer. La plus grande partie de ces acides ne sont pas assimilés ni utilisés par le corps, mais directement éliminés dans les urines, dans les heures qui suivent la consommation. Cette élimination ne se fait cependant pas sans inconvénient, car pour neutraliser l'acidité, des bases doivent être cédées. Une tendance à la déminéralisation a donc lieu lors de la consommation de ce genre d'acides lactiques.

L'acide lactique L+ par contre est très physiologique. C'est dans la forme L+ que notre corps transforme le lactose. C'est également sous cette forme que nos muscles produisent de l'acide lactique en brûlant des sucres. Et en excès, cet acide produit des courbatures. L'organisme possède les enzymes nécessaires pour transformer l'acide lactique L+, ce qui fait que celui-ci n'est pas acidifiant pour lui.

Lors de la fabrication du yogourt, la proportion d'acides lactiques L+ peut changer du tout au tout suivant les ferments utilisés. Elle est très élevée dans les nouvelles variétés de yogourt, genre bifidus, et très basse dans les yogourts traditionnels. Les *laits acidifiés*, qui sont depuis peu disponibles sur le marché, sont aussi principalement constitués d'acide lactique L+. N'étant pas préparés avec des ferments de yogourt, ils n'ont pas non plus l'inconvénient d'être acidifiants comme eux ; c'est pourquoi, contrairement aux yogourts, ils sont classés dans les aliments alcalinisants.

Le beurre frais et cru, mangé avec modération, est alcalinisant, mais cesse de l'être dès qu'il est consommé en grande quantité, ou pire, cuit.

Les œufs sont légèrement acidifiants. Le jaune seul serait alcalinisant.

Tableau des produits laitiers		
alcalinisants	*peu acidifiants*	*très acidifiants*
Lait		
• lait entier cru • frappé banane	• lait pasteurisé • frappé avec fruits • crème fraîche	• lait upérisé • lait au chocolat
Beurre		
• beurre frais		• beurre cuit
Fromage blanc		
• égoutté et frais • sérac	• peu égoutté	
Yogourt		
• lait acidulé • petit-lait frais • babeurre frais	• yogourt frais • yogourt lévogyre (bifidus) • yogourt drink sans sucre • petit-lait peu âgé	• yogourt âgé • yogourt dextrogyre • yogourt sucré + fruits • kéfir • petit-lait âgé • babeurre plus âgé
Fromage à pâte molle		
	• camembert, brie… frais, jeunes peu gras	• les mêmes, mais mûrs, très faits, vieux, très gras
Fromage à pâte dure		
	• gruyère, • tomme de Savoie…	• de haut goût : parmesan
Œufs		
• jaune d'œuf	• œuf	

Les chairs animales

Les viandes peuvent être divisées en deux grands groupes : celui des viandes blanches et celui des viandes rouges. Ces dernières sont plus chargées en toxines, en sang et en graisse, d'où leur couleur plus foncée. Mais elles sont aussi plus acidifiantes pour l'organisme, le pire étant la charcuterie. Les poissons ne sont pas spécialement moins acidifiants que la viande. Par contre, les crustacés (écrevisses, langoustes…) le sont beaucoup plus, tout comme la plupart des coquillages. Les huîtres en font exception. Leur richesse en minéraux de toutes sortes, donc pas uniquement en minéraux alcalins, en fait un excellent reminéralisant général.

Tableau des chairs animales		
alcalinisants	*peu acidifiants*	*très acidifiants*
Viandes		
	• viande blanche : poulet, lapin, veau, agneau…	• viande rouge : bœuf, mouton, cheval, porc, charcuterie…
Poissons		
	• poisson maigre : merlan, sole, truite, perche…	• poisson gras : saumon, carpe, hareng…
Fruits de mer		
	• huîtres fraîches	• crustacés : homard, crevettes… • moules

Les légumineuses

Les légumineuses sont des aliments extrêmement concentrés. Ils ne contiennent que très peu d'eau, et la quasi-totalité de leurs composants sont des protéines, des lipides et des glucides. Les cacahuètes, par exemple, contiennent 25 % de protéines, 48 % de graisses et 25 % de glucides, ce qui ne laisse que 2 % du poids total à l'eau et aux sels minéraux.

À cause de leur concentration extrême en nutriments acidifiants, les légumineuses sont acidifiantes, d'autant plus qu'elles sont riches en purines, une toxine qui, pour être éliminée, est transformée en acide urique. À l'analyse, 100 g de graines de soja apportent autant de purines que 200 g de viande de porc! Le tofu et le lait de soja sont moins acidifiants à cause du procédé de fabrication qui les rend plus facilement métabolisables.

Tableau des légumineuses		
alcalinisants	*peu acidifiants*	*très acidifiants*
Soja		
• lait de soja • yogourt de soja • pousse de soja	• tofu	• grain de soja
Autres		
	• pois verts secs • lentilles • flageolets • haricots blancs	• pois chiche • haricots rouges • cacahuètes

Divers

Le tableau suivant comprend des aliments divers qui n'appartiennent à aucune des catégories précédentes.

alcalinisants	peu acidifiants	très acidifiants
Sucre		
• sucre de canne complet (Succanat) • concentré de poire		• sucre blanc et brun
	• sirop d'érable • miel	
Sel		
• sel marin • sel de cuisine		
Épices et condiments		
• épices vertes: persil, basilic		• câpres • cornichons • piments • moutarde • mayonnaise • ketchup
	• vinaigre de pomme	• autres vinaigres
Huiles		
• de 1ᵉ pression à froid: tournesol, olive, carthame…	• les mêmes pressées à chaud	
		• arachide, noix, noisette • huiles cuites
Graisses		
• margarine végétale non hydrogénée		• margarine hydrogénée (de palme, coco…) • graisse animale
Champignons		
	• champignons de Paris (de souche)	• autres: truffe, morille…

Les boissons

L'eau – qui devrait être la boisson de base de l'être humain – a généralement un pH de 7, mais celui-ci varie beaucoup selon sa provenance. L'eau du robinet est facilement acide puisqu'elle est chlorée, et que le chlore est acide. Les eaux minérales plates achetées en bouteille ont en principe un pH de 7. Cependant, celui-ci se modifie si on y ajoute du gaz carbonique. Pour une eau plate au pH de 7, le pH descendra à 6 ou 5,5 lorsqu'elle est modérément gazéifiée (mini-bulles) et à 5 si elle est fortement gazéifiée.

Les eaux minérales les plus alcalines que nous avons trouvées (liste non exhaustive) sont : Contrexéville pH 7,1 ; Évian pH 7,2 ; Henniez bleue pH 7,5 ; Limpia pH 7,5 (officiellement 7,99 à la source). Cette classification a uniquement trait au caractère alcalinisant de ces eaux et ne fait aucunement intervenir toutes les autres qualités qu'elles peuvent posséder, comme leur pureté bactériologique, leur goût, leurs vertus thérapeutiques, etc.

Les filtres à eau, vendus dans les commerces pour purifier l'eau du robinet, retiennent surtout le calcium et, par conséquent, ils acidifient l'eau. Il existe cependant une nouvelle génération de filtres qui purifient, mais qui en même temps alcalinisent l'eau.

Ceci dit, il faut souligner que l'acidification du terrain est beaucoup moins dépendante de la consommation d'eau – même légèrement acide – que de tous les autres facteurs.

Café, thé et boissons chocolatées sont acidifiants à cause de leur teneur en purines. Les infusions de plantes : verveine, menthe, tilleul, etc., sont alcalinisantes, exceptées celles aux cynorrhodons, aux écorces de fruits et au bouleau. La prêle, riche en acide silicique (comme le millet), est acidifiante pour les personnes métaboliquement faibles face aux acides.

Tableau des boissons		
alcalinisants	*peu acidifiants*	*très acidifiants*
• eau pure		
Eaux minérales		
• plate pH 7 Contrexeville Évian Henniez bleu Limpia	• eaux mini-bulles	• eaux gazéifiées
Eau du robinet		
• selon les villes	• selon les villes	• selon les villes
Eau filtrée (filtre charbon)		
	• filtre usé pH 6,5 • filtre neuf pH 6	
Café, thé, infusions		
• café céréales	• thé vert	• café • thé noir • chocolat • cacao
• menthe, verveine, tilleul	• bouleau, cynorrhodon, écorce de fruits	• prêle
Jus		
• de légumes frais	• de légumes lacto- fermenté	• de tomate
• petit-lait frais • lait d'amande • lait de soja	• petit-lait peu âgé	• petit-lait âgé • limonades industrielles • sirops
Alcool		
	• bière	• vin • liqueurs • alcools forts

Les jus de fruits doux et mûrs, comme les mangues ou les pêches, sont alcalinisantes s'ils sont bus en petites quantités, par exemple à raison d'un petit verre par jour. Les autres jus – d'orange et de pamplemousse surtout – sont acidifiants pour les personnes sensibles aux acides.

Les jus de légumes sont en général alcalinisants, sauf s'ils sont conservés par lacto-fermentation. Le jus de tomate est toujours acidifiant.

Comme déjà dit, le petit-lait est alcalinisant ou non selon son âge.

Les limonades industrielles, de même que les sirops, sont très acidifiantes à cause de leur teneur en sucre.

V • Les repas acidifiants et leurs variantes alcalines

La plupart des gens se nourrissent par habitude. Le plus souvent, ils ne savent pas pourquoi ils mangent d'une manière plutôt que d'une autre. Tant que ces habitudes alimentaires sont saines, il n'y a aucun problème. Cependant, sitôt que des troubles de santé apparaissent, il serait préférable d'analyser sa manière de s'alimenter pour en corriger les erreurs éventuelles.

De nombreuses personnes qui souffrent de troubles d'acidification mangent en effet des repas acidifiants sans s'en rendre compte. Le but de ce chapitre est donc d'analyser les menus les plus courants des différents repas de la journée – petit-déjeuner, repas de midi et du soir, collations de 10 et de 16 heures – afin de montrer en quoi ils sont acidifiants, puis de proposer des variantes alcalines pour les remplacer.

Pour rendre plus visuel nos propos, les aliments composant les différents menus et variantes ont été répartis dans les trois colonnes du tableau utilisé jusqu'à présent, à savoir en aliments alcalinisants, peu acidifiants et très acidifiants. Ainsi, un simple coup d'œil suffit pour repérer le caractère plus ou moins acidifiant ou alcalinisant des repas et variations.

Lors du choix des variantes, il est bon de se souvenir que l'organisme a aussi besoin d'aliments qui sont acidifiants de nature, comme les protéines (produits laitiers, œufs, etc.) et les céréales, et qu'il est capable de neutraliser et d'éliminer jusqu'à un certain point leurs acides. Un régime exclusivement alcalin, uniquement composé de menus alcalins, ne se justifie donc que pour les personnes souffrant de graves troubles d'acidification, et pour un temps limité seulement. Pour les autres, le régime sera plus ou moins élargi aux aliments acidifiants selon leurs capacités à maintenir leur équilibre acido-basique.

Le petit-déjeuner

Les trois petits-déjeuners examinés ci-après du point de vue de l'équilibre acido-basique sont les plus courants. Les variantes proposées, comme toutes celles de ce chapitre, ne sont que des suggestions ou des exemples, illustrant les lignes directrices à suivre. Elles peuvent donc être adaptées et modifiées selon les besoins.

Comme on peut le voir, le petit-déjeuner classique est constitué exclusivement d'aliments acidifiants, excepté le beurre qui, de toute manière, est consommé en quantité réduite. Comment modifier ce repas pour le rendre plus alcalin ?

En remplaçant le pain blanc ou mi-blanc par du pain noir ou du pain complet sans levain, on diminue le taux d'acidité. L'apport d'acides est encore moindre si le pain est remplacé par des biscottes ou des pains braisés, préparés à partir de farines complètes.

Tartine à la confiture		
alcalinisants	*peu acidifiants*	*très acidifiants*
• beurre	*Exemple 1*	• pain blanc • confiture • café au lait ou thé avec sucre blanc
• beurre • concentré de poires • café de céréales non sucré, ou avec sucre intégral ou infusion	*Variante 1* • pain noir ou complet	
• beurre • café de céréales ou infusion sans sucre ou lait acidulé frais	*Variante 2* • pain noir ou complet • fromage à pâte molle frais	

Les confitures sont extrêmement acidifiantes pour deux raisons. Premièrement, les fruits avec lesquels elles sont préparées sont plus ou moins acides, et deuxièmement, à cause de l'énorme quantité de sucre qui entre inévitablement dans leur composition (environ 50 % du poids total).

La confiture est avantageusement remplacée par les concentrés de poires ou de pommes vendus en magasin diététique. Fabriqués à partir de jus de fruits, qui est filtré et épaissi par évaporation de l'eau, ils ont la consistance et l'aspect du miel liquide. Ces concentrés sont essentiellement constitués de fructose. Ils ont une saveur très agréable et un léger goût du fruit avec lequel ils ont été préparés. Étant encore désacidifiés volontairement au cours de leur préparation, ils sont vraiment alcalinisants. Parmi les produits très proches de ces concentrés, mais plus épais et non désacidifiés, se trouvent diverses crèmes à tartiner aux poires et aux pommes. Elles sont moins alcalinisantes que les concentrés, mais de toute manière, bien plus alcalines et donc préférables aux confitures.

Dans la gamme des produits alcalins, on trouve également le concentré de dattes.

Le café est généralement présent dans le petit-déjeuner classique. C'est une boisson très acidifiante à cause de sa teneur en purines, tout comme l'est d'ailleurs le thé noir. Le café décaféiné n'étant guère moins acidifiant, il est préférable de remplacer le vrai café par un des nombreux succédanés fabriqués à partir de céréales torréfiées ou de chicorée. Chacun ayant sa saveur propre, il convient de chercher lequel d'entre eux correspond le mieux à ses goûts personnels. La saveur et l'odeur de ces préparations se rapprochent beaucoup du café, sans lui ressembler totalement. Mais par leur couleur, leur consistance et la manière de les consommer, ce sont de bons substituts qui ont été utilisés avec succès par de grands buveurs de café.

Le thé sans théine n'est pas plus une solution que le café décaféiné. Le thé vert est moins acidifiant que le thé noir, mais il serait encore mieux de boire des infusions de plantes. La menthe, la verveine, le tilleul, etc., sont des plantes bien connues et très largement appréciées. Le romarin, la sauge et le thym ont des propriétés stimulantes qui remplacent en partie celles du café et du thé.

Pour sucrer les infusions, le café diététique, etc., il est conseillé d'utiliser le sucre complet, obtenu à partir du jus intégral de la canne à sucre. N'étant pas raffiné, il contient tous les éléments constitutifs du jus (vitamines, enzymes, oligoéléments…) et, par conséquent, se métabolise facilement

Café – croissant		
alcalinisants	*peu acidifiants*	*très acidifiants*
	Exemple 2	• café • croissant

• infusion ou
  succédané de café
	Variante 1
	• biscottes
	  complètes	

• infusion ou succédané de café • fruits secs • amandes	*Variante 2*	

sans produire des déchets acides. Le sucre blanc par contre, ainsi que les sucres colorés en brun, sont à proscrire.

Mais mieux encore que l'emploi du sucre complet serait d'abandonner l'habitude de sucrer les boissons. Il ne s'agit en effet que d'une habitude, car les infusions et cafés diététiques procurent autant de plaisir sans sucre.

Un café accompagné d'un croissant constitue le petit-déjeuner des gens pressés ou de ceux qui n'ont pas faim le matin. Un tel repas donne rapidement l'impression d'avoir de l'énergie. Celle-ci n'est cependant pas amenée par les aliments consommés, comme cela se passe normalement, mais prélevée dans les réserves organiques par les alcaloïdes du café. Quant aux aliments énergétiques proprement dits, il s'agit de ceux qui sont riches en glucides, c'est-à-dire les fruits frais et secs, le miel, les céréales, les pommes de terre. Le café ne contient pas de glucides, exceptés l'éventuel sucre blanc rajouté dans la tasse. Le croissant en apporte, mais peu et de mauvaise qualité.

Le café n'apporte des forces uniquement parce qu'il contraint l'organisme à convertir en glucose les glucides et les lipides stockés jusqu'alors dans ses tissus. Ce processus, qui se répète à chaque prise d'excitant, surmène l'organisme et conduit à la production de nombreux acides. Ces derniers se surajoutent à ceux déjà amenés par le café lui-même, et parfois ceux du jus d'orange ingéré pour obtenir un apport de vitamine C.

Cette double source d'acidification engendre un état de fatigue constant, puisque la fatigue physique est physiologiquement caractérisée, et de manière tout à fait naturelle, par une forte présence d'acides.

Quelqu'un qui use régulièrement d'un excitant comme le café se trouve rapidement dans un cercle vicieux car, pour vaincre la fatigue, il prend un autre excitant qui entretient son état de fatigue.

Pour rompre ce cercle vicieux, un changement radical doit prendre place. La solution consiste à redonner à l'organisme un apport énergétique véritable, composé de pain noir, beurre et concentré de poires, afin qu'il puisse se passer de la stimulation artificielle par le café. Ce dernier sera d'ailleurs progressivement, mais rapidement, supprimé et remplacé par des boissons naturellement stimulantes, comme des infusions de thym, de romarin ou de sauge. Le café de céréales ou la chicorée peuvent aussi être utilisés, non pour leur effet excitant qui n'existe pas, mais pour leur aspect qui rappelle celui du café.

L'organisme aura évidemment besoin de quelque temps pour s'habituer à cette nouvelle composition de repas, mais les bienfaits ressentis compenseront largement les efforts fournis.

Les flocons de céréales sont acidifiants, mais ils ne doivent pas être systématiquement rejetés car ils constituent un bon apport énergétique pour l'organisme. Les céréales étant généralement des aliments difficiles à digérer, l'acidité qu'elles produisent sera d'autant plus importante que les digestions seront imparfaites. Or, des flocons crus ou mi-crus, comme on les trouve dans les müeslis, sont beaucoup plus difficiles à digérer que ceux qui ont été cuits et qui, pour cette raison, sont croustillants. En effet, lors de la cuisson, les hydrates de carbone des flocons sont transformés en substances plus simples. Il y a ainsi une sorte de prédigestion qui facilitera notre propre digestion de cet aliment.

Choisir des flocons de céréales croustillants, c'est donc choisir des céréales sous une forme moins acidifiante. Il y a cependant un @@problème supplémentaire concernant les mélanges de flocons, c'est celui du sucre. Le sucre rajouté pour rendre les flocons plus agréables au goût est parfois présent en grande quantité, ce qui les rend de nouveau plus acidifiants. Il existe cependant des mélanges de flocons croustillants peu ou pas sucrés, et d'autres sucrés au sucre complet et non au sucre blanc.

Birchermüesli		
alcalinisants	*peu acidifiants*	*très acidifiants*
• lait	*Exemple 3* • mélange de flocons • fruits frais • yogourt	
• lait (vache ou soja)	*Variante 1* • flocons croustillants	
• fromage blanc • fruits secs • amandes	*Variante 2* • fruits doux mûrs	

Pour être digérées correctement, les céréales ont besoin d'un milieu digestif alcalin. Or, le fait d'ajouter des fruits frais et du yogourt aux flocons perturbe leur digestion puisque ce sont des produits *acides* par nature. Il en résultera la fermentation des flocons, qui engendrera de nombreux acides et poisons. Cet inconvénient peut être facilement évité si l'on ne mélange pas les céréales et les fruits à un même repas. Deux variantes alcalines sont donc possibles. Soit l'on mange des flocons uniquement avec du lait, soit on conserve les fruits frais, mais on les mélange avec du fromage blanc, des fruits secs et des amandes, trois aliments alcalinisants.

Contrairement à la croyance générale, le mélange flocons, fruits et yogourt (ou lait) n'est pas conforme au célèbre müesli du Docteur Bircher. D'une part, parce que la recette Bircher ne préconise que l'emploi d'une seule céréale : les flocons d'avoine, et d'autre part, parce que ces flocons, pris en quantité extrêmement modeste (1 cuillerée à soupe rase par personne) sont mis à tremper toute une nuit dans de l'eau, ce qui amorce un ensemble de transformations qui les prédigèrent, comme le fait la cuisson. Bien que le Dr Bircher préconisât de rajouter des fruits frais, le mélange est beaucoup plus digeste que la préparation actuelle, à cause du trempage des céréales et des quantités réduites de flocons.

↗ Autres variantes alcalines de petits-déjeuners

Voici quelques propositions supplémentaires de petits-déjeuners qui, certes, sortent de l'ordinaire, mais qui, grâce à leur caractère alcalin, peuvent être utiles. Exclusivement composés d'aliments alcalins, ces repas sont particulièrement recommandés aux personnes qui doivent suivre un régime alcalin très strict, mais aussi à celles qui aiment varier la composition de leurs repas.

Variante 1	• fruits secs • amandes • petit-lait, babeurre ou fromage blanc frais • infusion ou café diététique non sucré
Variante 2	• fruits secs trempés et jus du trempage • fromage blanc frais • infusion ou café diététique non sucré
Variante 3	• banane écrasée • amandes ou purée d'amandes • infusion ou café diététique non sucré
Variante 4	• châtaignes • fromage blanc frais • infusion ou café diététique non sucré
Variante 5	• frappé de lait de vache, de soja ou d'amande et banane (ou autre fruit mûr et doux)
Variante 6	• carottes crues, fenouil cru… • fromage blanc frais • infusion non sucrée

Collation de 9 heures

Plusieurs heures – de 4 à 6 suivant les cas – s'écoulent entre le petit-déjeuner et le repas de midi. Pour passer la matinée entière avec suffisamment d'énergie pour leurs activités, une boisson et un apport énergétique léger sont indispensables à beaucoup de gens.

Les collations les plus courantes remplissent bien leur but car elles sont riches en glucides, la source énergétique par excellence. Le plus souvent cependant, elles sont acidifiantes, et donc déconseillées aux personnes souffrant d'un déséquilibre acido-basique.

Le simple fait de remplacer les biscuits préparés à la farine blanche par des biscuits à la farine complète et, en plus, très modérément sucrés (avec du sucre complet), diminue l'effet acidifiant de la collation.

Le café (ou le thé noir) est bien sûr remplacé par une boisson alcaline : infusion ou café diététique sans sucre ou avec sucre complet. Le choix judicieux de substituts permet ainsi de manger une collation sensiblement identique, mais avec un effet tout différent sur l'équilibre acido-basique.

Il est possible de remplacer les biscuits par des fruits secs et des amandes, ou un jus de légume alcalin, comme par exemple le jus de carotte.

Collation café – biscuit		
alcalinisants	*peu acidifiants*	*très acidifiants*
	Exemple 1	• café sucré • biscuits à la farine blanche sucrés, évtl. au chocolat
• café diététique au sucre intégral	*Variante 1* • biscuits complets peu sucrés	
• fruits secs • amandes • infusion non sucrée	*Variante 2*	
• jus de carotte	*Variante 3*	

Collation de fruits frais		
alcalinisants	*peu acidifiants*	*très acidifiants*
	Exemple 2	• 1 pomme acide ou autre fruit acide
	Variante 1 • 1 pomme douce ou autre fruit doux et mûr	
• fruits secs • infusion non sucrée	*Variante 2*	
• banane • amande	*Variante 3*	

La consommation d'une pomme ou d'un autre fruit n'est acidifiante que pour les gens qui présentent une faiblesse métabolique face aux acides. Pour eux, une variante consisterait à choisir un fruit doux et mûr qui diminuerait déjà fortement l'effet acidifiant. Deux autres variantes, très proches, sont également composées de fruits : la première comprend des fruits secs : raisins, dattes, banane, etc., éventuellement accompagnés de quelques amandes. La seconde comprend le seul fruit absolument alcalin : la banane. Pour être savoureuse, celle-ci doit être bien mûre. Accompagnée d'amandes, elle constitue une collation délicieuse.

Un sandwich au pain complet, avec du fromage, une ou deux feuilles de salade et quelques rondelles de concombre, est beaucoup moins acidifiant que le sandwich au pain blanc et jambon. Les légumes présents n'ont pas une fonction décorative, mais étant alcalins, ils compensent en partie le caractère acidifiant du pain et du fromage.

Sandwich – limonade		
alcalinisants	*peu acidifiants*	*très acidifiants*
	Exemple 3	• sandwich au pain blanc avec du jambon • limonade industrielle
• feuille de salade • eau	*Variante* • pain complet • fromage	

Les limonades industrielles sont très acidifiantes à cause de leur haute teneur en sucre. Au niveau diététique, il s'agit d'un mauvais sucre parce que, étant raffiné, il pénètre très rapidement dans le sang et oblige le pancréas à sécréter soudainement beaucoup d'insuline pour éviter l'hyperglycémie. Si la crise est effectivement évitée, la brusque et importante sécrétion d'insuline a généralement pour conséquence de faire descendre trop bas la glycémie normale et de produire une hypoglycémie, c'est-à-dire un manque d'énergie. Pour rétablir le niveau énergétique normal, un besoin de sucre se fera donc sentir. S'il est à nouveau satisfait à l'aide de mauvais sucres, le pancréas s'épuisera à sécréter de l'insuline et le terrain s'acidifiera à cause des apports répétés de sucre. Cette acidification rendra d'autant plus nécessaire la consommation de nouveaux sucres, puisque l'acidification du terrain est synonyme de fatigue. Il s'agit alors d'un cercle vicieux du même type que celui expliqué à propos du café. Pour en sortir, il faut absolument remplacer les mauvais sucres (sucre blanc et tous les aliments qui en contiennent : limonades, chocolat, bonbon, etc.) par des sucres naturels : fruits secs, concentré de poires, barres de céréales…

Les limonades « light », sucrées artificiellement, ne sont pas non plus une solution, non pas à cause du sucre qui n'y est plus, mais à cause de leurs autres constituants.

↗ Autres variantes alcalines de collations de 9 heures

En plus des variantes alcalines indiquées ci-après, les collations proposées pour 16 heures peuvent aussi convenir (cf. page 131).

alcalinisants	peu acidifiants
Variante 1 • fromage blanc sucré au concentré de poire ou avec du sucre complet	• fruit mûr et doux
Variante 2	• barre de céréales peu sucrée (sans chocolat)
Variante 3 • lait	• flocons croustillants
Variante 4 • banane écrasée • purée d'amandes	
Variante 5 • lait d'amandes	
Variante 6 • jus de légumes	• biscottes complètes

Le lait d'amandes se prépare en mélangeant de la purée d'amande (magasins diététiques) avec un peu d'eau. C'est une boisson très agréable, nourrissante et alcalinisante.

Les jus de légumes (carottes, betteraves rouges ou cocktails de légumes) sont énergétiques par les sucres naturels qu'ils contiennent. Il faut cependant veiller à ce que les mélanges soient dépourvus de jus de tomate et que le procédé de conservation employé ne les rende pas trop acides (attention à la lacto-fermentation). Cette remarque est avant tout valable pour les personnes sensibles aux acides.

Le déjeuner

Le repas de midi type est le plus souvent constitué d'une protéine (sous forme de viande ou de poisson), d'un farineux (riz, pâtes ou pommes de terre) et de légumes (salade verte ou légume coloré). Le tout est suivi par du fromage, un dessert sucré et un café. Quelle est la valeur d'un tel repas du point de vue de l'équilibre acido-basique ?

La viande et le poisson sont des aliments acidifiants. Il est cependant possible de diminuer leur acidité en préférant les viandes blanches aux rouges, et les poissons maigres aux gras. Il serait encore plus judicieux de remplacer la viande une fois sur deux par un œuf ou du fromage. L'apport protéique serait ainsi garanti, mais sous forme moins acidifiante. Il faut noter qu'il s'agit ici de remplacer, et non de cumuler, comme cela se fait couramment. Cumuler des protéines différentes à un même repas par la consommation de fromage après la viande ne fait que compliquer les digestions et augmenter l'acidification.

Les sauces grasses et farineuses qui accompagnent souvent les viandes ont un effet acidifiant qui peut être supprimé par une cuisson au grill.

Repas type classique		
alcalinisants	*peu acidifiants*	*très acidifiants*
• légumes cuits : carottes • salade verte	*Exemple 1*	• viande rouge • sauce • riz blanc • fromage fort • pain blanc • vin ou limonades • dessert sucré : flan gâteau, biscuit, glace, • café, sucre
• légumes cuits : carottes • pommes de terre • salade verte • infusion sans sucre ou eau	*Variante* • viande blanche • biscuit complet au sucre intégral	

Les céréales (riz, pâtes…) utilisées comme farineux sont acidifiantes par nature, mais plus encore si elles sont raffinées, c'est-à-dire sous forme de riz blanc, pâtes blanches, etc. Le pain qui accompagne le repas est souvent passé sous silence, mais il constitue un apport acidifiant supplémentaire, parfois important. Remplacer le pain par des céréales complètes : riz complet, pâtes complètes… aura une heureuse influence sur l'équilibre acido-basique. Si cela ne suffit pas – ce qui sera certainement le cas pour les personnes acidifiées – les céréales seront remplacées par des pommes de terre. Au début des cures de désacidification, il n'y a aucun inconvénient de manger quotidiennement des pommes de terre si les céréales sont trop acidifiantes pour l'organisme. Toutefois, elles ne sont alcalinisantes que si elles ne sont pas consommées sous forme de pommes frites, car dans ce cas, leur haute teneur en graisse les rend acidifiantes.

Dans les déjeuners que nous étudions, les seuls aliments vraiment alcalins qui puissent contrebalancer la présence d'aliments acidifiants sont les légumes cuits ou crus. Il faut donc veiller à ce qu'ils représentent une partie importante du repas. Lorsque le morceau de viande et le farineux occupent presque toute la surface de l'assiette et ne laissent plus la place qu'à une ou deux cuillerées de légumes cuits, leur fonction n'est dès lors plus nutritive, mais décorative !

En ce qui concerne les desserts sucrés, ils ont l'inconvénient, d'une part, d'apporter des acides par le sucre – le plus souvent blanc – et, d'autre part, de produire des acides par les fermentations qui résultent du mélange indigeste sucre – farineux ou sucre – protéines. Les gâteaux, pâtisseries, flans, glaces, etc., sont donc déconseillés. Les fruits natures ou préparés avec du sucre (compote, salade de fruits…) le sont également pour les mêmes raisons. L'idéal serait de se passer de dessert. Si on ne peut s'en passer, le mieux serait de se limiter à des desserts simples : fromage blanc nature, biscuits secs peu sucrés, etc.

En fin de repas, le café stimule certes un peu le travail digestif, mais étant acidifiant, il est préférable de lui substituer des infusions de plantes non acidifiantes et digestives : menthe, verveine, basilic, mélisse, romarin…

Par les nombreuses bases qu'elle contient, une généreuse salade mêlée (sans tomates) compense le caractère acidifiant des pâtes blanches et de la sauce tomate. Les tomates sont bien connues pour être acidifiantes. Préparées en sauce, leur acidité augmente à cause de la cuisson (destruction de vitamines et enzymes) d'une part, et de la concentration en principe acides qui en résulte d'autre part. Lorsqu'on rajoute en plus du parmesan, l'effet acidifiant est encore accentué car ce fromage est en soi plus acide que les autres, comme en témoigne son goût.

Les repas à base de pâtes sont plus alcalins si on utilise des pâtes complètes à la place des blanches, et en supprimant la sauce tomate. Les pâtes sont alors mangées soit avec un peu d'huile de première pression à froid, soit avec du fromage râpé d'une qualité moins acide que le parmesan. Si la sauce est indispensable, il convient alors de préparer une sauce blanche et légère.

Repas de pâtes (spaghettis)		
alcalinisants	*peu acidifiants*	*très acidifiants*
• salade mêlée • herbes	*Exemple 2* • huile pressée à chaud • vinaigre	• spaghettis blancs • sauce tomate • parmesan

• salade mêlée
• huile 1ᵉ pression
  à froid
• herbes
	Variante
	• pâtes complètes
	• fromage râpé, très peu
	  de vinaigre ou de jus de
	  de citron ou de yogourt	

En ce qui concerne la sauce à salade, il est nécessaire de souligner l'importance d'être très modéré avec le vinaigre, mais aussi avec le jus de citron qui le remplace parfois. Le vinaigre est un produit très acide qui est couramment utilisé pour préparer la sauce à salade. Certaines personnes en mettent des quantités très importantes, parfois supérieures à celles de l'huile, alors que c'est généralement le contraire qui se fait. Il est si habituel d'utiliser le vinaigre que pour finir, beaucoup de gens s'imaginent qu'il n'est pas possible de faire une sauce à salade sans vinaigre. Mais ce n'est pas du tout le cas. On peut confectionner de délicieuses sauces sans vinaigre, en utilisant de l'huile et des herbes. Selon les goûts, le fromage blanc, la levure de bière, le jus de soja, le jus de légumes, etc., peuvent aussi être employés. Les variantes sont innombrables.

Pour les personnes qui désirent malgré tout une sauce un peu acide, le vinaigre et le jus de citron peuvent être utilisés, mais en petites doses.

Un deuxième point très important pour obtenir une sauce à salade peu acidifiante est le choix de l'huile. Elle doit être de bonne qualité, c'est-à-dire de 1re pression à froid.

Repas à base de légumineuses		
alcalinisants	*peu acidifiants*	*très acidifiants*
• légumes cuits	*Exemple 3* • tofu	• une légumineuse : lentilles, graines de soja...
• légumes cuits	*Variante 1* • une céréale complète • tofu	
• légumes cuits • pommes de terre	*Variante 2* • tofu	

Un repas constitué de légumes cuits et d'une légumineuse est courant en cuisine végétarienne. Les légumineuses utilisées sont le plus souvent des lentilles, du soja, des haricots blancs, etc. Elles sont accompagnées d'un légume (et éventuellement d'une salade), mais souvent de tofu ou d'une céréale (par exemple pois chiches, couscous, haricots rouges, maïs, etc.). Le but de ces mélanges n'est pas seulement gastronomique, mais aussi diététique. En effet, céréales et légumineuses ne possèdent pas tous les acides aminés essentiels nécessaires à l'organisme. En associant judicieusement deux aliments incomplets en acides aminés, l'apport total d'acides aminés peut être réalisé, comme c'est le cas dans les mélanges précités.

Les légumineuses sont des aliments très nutritifs, mais aussi très acidifiants. Leur digestion n'est pas aisée, surtout lorsqu'elles sont associées à des céréales. Or, moins les digestions se font correctement, plus la production d'acides sera grande. Malheureusement, les personnes métaboliquement faibles face aux acides présentent généralement aussi des faiblesses digestives. La consommation de légumineuses leur est donc doublement contre-indiquée. Il serait alors préférable de n'en consommer qu'exceptionnellement, par exemple des lentilles cuites très longuement, et de manière générale, de les remplacer par des céréales qui sont aussi nutritives que les légumineuses, mais se métabolisent beaucoup plus facilement. Comme déjà dit, les personnes très sensibles aux acides devraient donner la préférence aux pommes de terre plutôt qu'aux céréales, car elles sont faciles à digérer et toujours alcalines.

Il en résulte que deux variantes plus alcalines sont possibles, une avec des céréales peu acidifiantes (maïs, riz complet, épeautre…), et l'autre avec des pommes de terre. L'apport protéique étant assuré dans ces cas par le tofu (pour rester dans des plats typiquement végétariens).

Repas accompagné de vin		
alcalinisants	*peu acidifiants*	*très acidifiants*
• légumes cuits • pommes de terre	*Exemple 4* • poisson maigre	• vin
• légumes cuits • pommes de terre • eau	*Variante* • poisson maigre	

Composé aussi bien d'aliments alcalinisants qu'acidifiants, ce repas paraît peut-être relativement équilibré. Il est néanmoins déconseillé aux personnes acidifiées ou possédant une faiblesse métabolique face aux acides, à cause du vin. Bu régulièrement aux repas, le vin diminue les capacités digestives en général et représente un apport considérable d'acides. L'alcool qu'il contient est neutralisé dans le foie, organe qui, à la longue, s'épuise à ce travail. De plus, les tanins contenus dans le vin *resserrent* les muqueuses digestives et réduisent le potentiel digestif. Les faiblesses ainsi engendrées atténuent les possibilités de diminuer la production d'acides lors des digestions. Le vin étant acidifiant par nature, mieux vaut donc n'en boire qu'exceptionnellement, lorsque l'équilibre acido-basique a été retrouvé, et jamais en cas de troubles.

⤢ Autres variantes alcalines de déjeuners

Les repas ci-dessous sont des repas types : on les varie à l'infini en changeant la crudité, le légume, le fromage, etc.

Variante 1	• crudités avec graines germées • pommes de terre en robe des champs • fromage blanc
Variante 2	• légumes cuits • pommes de terre au four • fromage blanc
Variante 3	• crudités avec amandes • polenta de maïs • fromage blanc
Variante 4	• épis de maïs • fromage blanc • légumes cuits
Variante 5	• salade verte • chou • châtaignes • lait acidulé frais
Variante 6	• salade verte/crudités • pommes de terre • jaune d'œuf

Les variantes suivantes ne sont pas totalement alcalines comme les précédentes car elles contiennent un aliment acidifiant. Mais ce dernier n'étant que peu acidifiant et ne représentant qu'une partie minime du repas, celui-ci peut être considéré comme pratiquement alcalin.

	alcalinisants	peu acidifiants
Variante 1	• crudités • pommes de terre	• fromage (genre gruyère doux)
Variante 2	• salade verte • polenta de maïs	• fromage ou œuf
Variante 3	• crudités • légumes cuits • châtaignes	• fromage
Variante 4	• salade verte • beurre • olives noires • fromage blanc	• biscottes complètes ou pain noir
Variante 5	• crudités • légumes cuits • sauce soja	• riz complet (riz à l'oriental)
Variante 6	• salade verte • légumes cuits	• 1 céréale : épeautre… • galette, pâtes
Variante 7	• salade verte • pommes de terre	• omelette au fromage ou aux champignons
Variante 8	• salade verte • tortilla aux pommes de terre	• œuf
Variante 9	• salade mêlée • légumes cuits	• tofu
Variante 10	• salade verte • gratin de légumes • pommes de terre • crème/lait	• fromage

Collation de 16 ou 17 heures

Comme la collation de 9 heures, celle de l'après-midi réalise un apport énergétique qui permet de faire le pont jusqu'au repas du soir. La grande partie de la journée, en tout cas celle qui comprend l'activité professionnelle, étant derrière soi, une certaine fatigue physique s'installe tout naturellement. La raison en est que les énergies fournies par le déjeuner sont déjà bien entamées. La glycémie est donc basse et le besoin de glucide se fait sentir, souvent avec force, ce qui peut pousser à manger de manière irraisonnée des aliments malsains et acidifiants.

Les sucreries sous forme de chocolat, bonbons ou autres sont caractérisées par leur haute teneur en sucre raffiné et, de plus, pour le chocolat et les pâtisseries en mauvaises graisses. Ces produits font monter rapidement la glycémie et réconfortent l'organisme en fournissant de l'énergie. Mais, comme déjà mentionné, le sucre raffiné est l'un des plus puissants agents d'acidification de l'organisme.

Collation de chocolat ou de bonbons		
alcalinisants	*peu acidifiants*	*très acidifiants*
	Exemple 1	• chocolat • bonbons ou sucreries
• fruits secs : dattes, figues	*Variante*	

Un bon substitut aux sucreries et au chocolat est les fruits secs. Leur teneur élevée en sucre naturel et leur goût prononcé amènent rapidement à satiété celui qui en mange. De plus, ces sucres naturels ne causent pas des crises d'hypoglycémie. La variété des fruits secs disponibles est très étendue. Ils ont aussi des saveurs et des consistances très diverses, ce qui permet de satisfaire le goût de chacun.

La première collation présentée ci-contre est constituée de mélanges de farine blanche, de graisses saturées et de sucre raffiné, trois ingrédients très acidifiants en eux-mêmes. Le fait de rajouter du thé noir ou de la limonade industrielle, à base de cola ou non, ne fait qu'augmenter l'effet acidifiant de telles collations.

En remplaçant la pâtisserie par un cake à la farine complète, sucré au sucre intégral ou à l'aide de fruits secs ou de concentré de poire, on diminue déjà considérablement l'effet acidifiant. De même qu'en remplaçant le thé noir par une infusion de plantes.

Collation de pâtisserie		
alcalinisants	peu acidifiants	très acidifiants
	Exemple 2	
		• pâtisserie, thé noir ou limonade industrielle
	Variante 1	
• infusion	• cake à la farine complète ou biscuit à la farine et au sucre complet	
	Variante 2	
• frappé banane	• frappé aux fruits doux et mûrs	

Les pâtisseries peuvent aussi être remplacées par une des nombreuses sortes de biscuits complets existants sur le marché, ou par une des variations de collation alcalines proposées. Et les limonades industrielles si acidifiantes peuvent être remplacées par des frappés aux fruits.

Les frappés sont des boissons non seulement très énergétiques grâce aux fruits, mais ils fournissent également de l'énergie sur une longue durée. Le mélange glucide (fruit) – protéine (lait) stabilise la glycémie, c'est-à-dire que la présence des protéines diminue la rapidité avec laquelle les glucides sont brûlés dans le corps et freine ainsi l'apparition de l'hypoglycémie. Les frappés se confectionnent avec du lait pur ou reconstitué. Ce dernier est obtenu en mélangeant du fromage blanc avec un peu d'eau. Le lait de soja peut aussi être utilisé. Les fruits et le lait sont passés au mixer. Si nécessaire, on ajoute du sucre intégral ou du concentré de poires.

Collation de tartines		
alcalinisants	*peu acidifiants*	*très acidifiants*
• beurre	*Exemple 3*	• pain blanc • confiture • lait au chocolat
• beurre • concentré de poire • infusion ou lait	*Variante* • pain noir ou complet	

La collation classique de tartines peut, de repas acidifiant, devenir un repas davantage alcalinisant, uniquement par un choix judicieux des aliments consommés. En choisissant du pain noir ou complet plutôt que blanc, on passe d'un aliment très acidifiant à un aliment peu acidifiant. En choisissant du concentré de poire à la place de la confiture et une infusion ou du lait à la place du lait chocolaté, on passe totalement à des aliments alcalinisants.

Les fruits et jus de fruits ne sont évidemment pas acidifiants pour tout le monde. Nous les avons classés dans la colonne des aliments acidifiants, car c'est aux personnes souffrant de faiblesse métabolique que ce livre s'adresse avant tout.

Pour ces dernières, le yogourt, acide par nature, sera remplacé par du fromage blanc ou du lait acidulé frais, et les fruits frais par des fruits secs (raisins, ananas…) qui, s'ils sont mis à tremper, s'accorderont mieux avec le fromage blanc.

Collation de fruits		
alcalinisants	*peu acidifiants*	*très acidifiants*
	Exemple 4 • fruit doux et mûr • yogourt frais	• fruit acide ou jus de fruit • yogourt âgé
• fruits secs • fromage blanc	*Variante*	

↗ Remarque

Les collations de 9 et de 16 heures visent les mêmes buts. Elles sont par conséquent facilement interchangeables. Toutes les variations alcalines proposées comme collations de 9 heures peuvent être reprises ici.

Le repas du soir

Pour certaines personnes, le dîner est le grand repas de la journée. Il est alors composé de la même manière que les repas de midi étudiés précédemment. Pour les autres, il s'agit d'un petit repas. Malgré son apparente simplicité, il est souvent plus compliqué, et surtout plus acidifiant, qu'on ne l'imagine. Il en est ainsi, par exemple, pour le dîner appelé « *café complet* ».

L'effet acidifiant du café est bien connu, tout comme celui du pain blanc et de la confiture. La charcuterie et le fromage sont aussi acidifiants en tant qu'aliments riches en protéines, mais la charcuterie l'est d'autant plus qu'elle contient beaucoup de graisses saturées. Un tel repas est souvent considéré comme simple, car il ne demande pas une grande préparation. Au niveau digestif, il n'est cependant pas simple, et encore moins au niveau de l'équilibre acido-basique. En effet, étant composé exclusivement d'aliments acidifiants, l'organisme doit neutraliser les acides apportés par ce repas uniquement avec les substances alcalines qu'il puise dans ses propres tissus.

Café complet		
alcalinisants	*peu acidifiants*	*très acidifiants*
• beurre	*Exemple 1* • fromage • miel	• pain blanc • charcuterie • fromages forts • confiture • café
• salade verte ou crudité ou potage de légumes • infusion	*Variation* • pain complet ou biscottes • fromage • miel	

Pour équilibrer un tel repas, il est conseillé d'y ajouter une généreuse portion de salade verte ou de crudités. De plus, plutôt que de boire du café, une autre boisson chaude pourra être choisie : une infusion de plantes ou, mieux, un potage de légume qui est riche en bases. En remplaçant le pain blanc par du pain complet et les fromages forts par des fromages légers, on diminue encore le caractère acide d'un tel repas.

Les tartes aux fruits sont acidifiantes par leurs composants et par le mélange de ceux-ci. Les fruits utilisés pour préparer les tartes ne sont souvent pas mûrs et beaucoup de sucre doit être rajouté pour en adoucir le goût. De plus, le mélange d'un farineux (la pâte à gâteau) et d'un aliment acide (les fruits) perturbe la digestion et engendre des fermentations, donc la production d'acides.

Il n'y a pas d'alternative aux tartes aux fruits. Les personnes acidifiées qui les apprécient doivent tout simplement être conscientes des caractéristiques d'un tel repas et en limiter la consommation en conséquence.

Tarte aux fruits		
alcalinisants	*peu acidifiants*	*très acidifiants*
	Exemple 2	• pâte à gâteau • fruits • sucre blanc

Les pizzas sont des repas acidifiants de par leurs ingrédients principaux. Deux alternatives sont possibles, mais aucune d'elles n'inclut des tomates, qui sont toujours acidifiantes. La première est la tarte aux légumes. L'acidification est moins importante par la présence des légumes et par l'utilisation d'une pâte à la farine complète. La seconde alternative est le gâteau au fromage. Il n'est pas vraiment alcalinisant, mais son caractère peu acidifiant sera encore atténué s'il est accompagné par une grande portion de salade verte ou de crudités.

Pizza		
alcalinisants	*peu acidifiants*	*très acidifiants*
• mozzarella • olives noires	*Exemple 3* • pâte à pizza à la farine complète • fromage râpé	• pâte à pizza blanche • tomates ou purée de tomate
• tarte aux légumes (légumes divers)	*Variante 1* • pâte à gâteau à la farine complète • fromage râpé	
• salade verte	*Variante 2* • gâteau au fromage • pâte à gâteau à la farine complète • fromage râpé • œuf	

En plus des variantes alcalines proposées pour le repas de midi, voici une autre possibilité de repas du soir.

Variante alcaline de repas du soir		
alcalinisants	*peu acidifiants*	*très acidifiants*
• soupe de légumes	*Variante* • fromage • pain complet ou biscottes complètes	

Avec une solution comme celle des soupes de légumes, les possibilités de repas sont très nombreuses parce qu'en modifiant leurs ingrédients, on modifie totalement leur aspect et leur goût. Il faut seulement veiller à ne pas rajouter des flocons de céréales pour épaissir les soupes, mais d'utiliser des pommes de terre à la place. Accompagnées d'un peu de fromage – pour l'apport protéique – et éventuellement de pain complet ou de biscottes complètes, les soupes forment des repas très agréables, surtout pendant la saison froide.

Troisième partie

Comment neutraliser et éliminer les acides ?

VI • Les compléments basiques

Si l'adoption d'une alimentation alcaline permet d'interrompre le processus d'acidification et de diminuer la concentration d'acides dans l'organisme, il s'est généralement avéré que cette mesure était insuffisante pour désacidifier en profondeur le terrain. À la réforme alimentaire, il est donc nécessaire d'adjoindre une aide supplémentaire: la prise de compléments basiques.

Le problème des personnes acidifiées n'est en effet pas la présence d'acides circulant en *surface*, dans le sang par exemple, mais la masse de ceux qui s'accumulent dans les profondeurs. *Comment ces acides y parviennent-ils?*

Le sang ne pouvant contenir beaucoup d'acides puisque ceux-ci modifient dangereusement son pH, l'organisme cherchera à s'en débarrasser au plus vite.

En dehors de la neutralisation par le système tampon, il dispose de deux moyens possibles. Le premier, qui est aussi le plus bénéfique, est le rejet des acides hors de l'organisme par le biais de l'urine et de la sueur. Ainsi éliminés, les acides n'influent plus de manière négative sur le pH sanguin.

Malheureusement, les quantités d'acides accumulées sont souvent trop importantes et dépassent les possibilités des reins et de la peau. L'organisme doit donc trouver un second moyen pour protéger le pH sanguin. Celui-ci consiste à repousser les acides en dehors du sang, non vers les émonctoires qui sont surchargés, mais vers les tissus qui supportent mieux des écarts de pH que le sang. Chez les personnes dont le mode de vie et d'alimentation est très acidifiant et chez celles qui sont métaboliquement faibles face aux acides, ce processus de refoulement des acides a lieu en permanence. Chaque nouvel apport repoussant les précédents un peu plus en profondeur, les quantités d'acides qui s'accumulent ainsi dans les tissus peuvent être considérables.

Désacidifier l'organisme ou corriger le terrain acide signifie donc neutraliser et éliminer de très grandes quantités d'acides. À première vue, on pourrait penser qu'un drainage intense et soutenu permettrait de se débarrasser de tous les acides accumulés. En d'autres termes, qu'il suffirait de stimuler les reins et la peau (les deux émonctoires spécialisés dans l'élimination des acides), pour arriver, après quelque temps, à libérer le corps de ces toxines. Ce n'est malheureusement pas le cas.

Pour parvenir aux reins et à la peau, les acides logés dans les tissus doivent d'abord pénétrer dans le sang, puis être conduits par lui jusqu'aux filtres rénal et cutané. Et c'est là que réside la difficulté, car le sang ne peut accepter trop d'acides à la fois. Son pH risquerait de s'éloigner trop de la norme, ce qui mettrait en danger la bonne marche et la survie de l'organisme entier.

Le sang n'acceptera donc que des quantités minimes d'acides à la fois et empêchera tout surplus d'y pénétrer, ce qui diminue fortement les possibilités d'élimination par les drainages. Le moyen de se sortir de cette situation est de faire en sorte que les acides pénètrent dans le sang sous une forme modifiée, forme qui leur fasse perdre leur caractère acide. Cette forme est celle de sel *neutre*, obtenue par l'adjonction d'une base, puisqu'un acide et une base forment ensemble un sel neutre.

Pour neutraliser chaque acide que le corps désire éliminer, la présence d'une base est donc nécessaire, mais les drainages n'apportent pas ces bases. Et celles apportées par un régime alcalin, même strict, ne suffisent souvent pas pour venir à bout d'une telle tâche ou impliqueraient de trop nombreuses années pour le faire. L'alimentation est prévue avant tout pour satisfaire les besoins courants en bases, et non pour effacer les conséquences d'erreurs antérieures. Il est donc indispensable d'apporter des bases supplémentaires. Cela est possible grâce aux compléments alimentaires. Il s'agit de préparations contenant les principaux minéraux basiques : calcium, potassium, magnésium, etc., sous une forme facilement assimilable pour l'organisme.

L'emploi régulier de ces compléments basiques sous forme de cure soutient les efforts de l'organisme et accélère grandement la désacidification. Ils ont aussi l'avantage de soulager plus rapidement le malade des symptômes douloureux ou des troubles néfastes qui résultent des surcharges en acides. Grâce à eux, ces troubles s'atténueront peu à peu, souvent en un temps étonnamment court.

La disparition des symptômes et des troubles de surface ne signifie cependant pas que l'organisme se soit débarrassé de la totalité de ses acides. Il en reste en profondeur, mais la diminution de leur concentration suffit, dans un premier temps, à faire disparaître les troubles les plus légers que leur présence engendrait. Plus tard, en poursuivant la cure suffisamment longtemps, le terrain sera débarrassé de tous les acides accumulés et retrouvera ainsi son fonctionnement normal. L'état de pleine santé ainsi acquis pourra alors être conservé sans compléments basiques, par le seul respect d'un mode de vie et d'alimentation adéquats.

Il existe aujourd'hui plus d'une douzaine de compléments basiques. Il y a une vingtaine d'années, on n'en trouvait que trois ou quatre. Cet accroissement spectaculaire provient du fait que la question de l'équilibre acido-basique est maintenant connue du grand public, et de plus en plus de gens réalisent que leurs problèmes de santé dépendent de l'acidification de leur terrain.

La variété de ces préparations présente un avantage car, bien que se ressemblant toutes fondamentalement, leurs différences et particularités permettent d'adapter leur usage de manière beaucoup plus large aux multiples cas individuels.

L'étude qui suit porte sur douze produits. Elle n'est pas exhaustive, mais nous mentionnons les produits qui nous sont connus. Leurs noms sont indiqués expressément afin que les personnes intéressées puissent les trouver facilement et les choisir en toute connaissance de cause. Tous ces produits se sont montrés efficaces. Les produits ne sont pas énumérés par ordre d'efficacité ou de préférence, mais par ordre alphabétique. Le lecteur qui dispose d'un mélange de bases non mentionné dans ces pages pourra facilement se faire une idée de sa valeur en l'examinant d'après les critères exposés ci-après.

Le nom des douze produits est : *Alcabase, Alkala, Basa Vita, Basin, Équilibre Vital, Erbasit, Mélange de bases Flügge, Ideal Base Plus, Mégabase, pHion Alkaline Minerals, Probase, Rebasit.*

Seront étudiées successivement la composition de ces compléments basiques, la manière de les prendre (dosage) et la durée des cures (voir tableau récapitulatif à la page 151).

Études de la composition des compléments basiques

↗ Les cinq minéraux de base

La majeure partie des préparations contient les cinq minéraux alcalins suivants : calcium, potassium, magnésium, fer et manganèse. Préparer un complément avec un seul de ces minéraux serait une erreur, car les besoins organiques sont bien définis, et un apport trop important d'un minéral pourrait dépasser ses capacités d'assimilation. Le système tampon utilise d'ailleurs ces différents minéraux, qui ont tous leur raison d'être dans ces mélanges.

Le calcium (C) est le minéral le plus représenté dans l'organisme. Il se trouve principalement dans le squelette, mais est indispensable pour beaucoup d'autres tissus, entre autres pour le système nerveux. Le potassium (K) joue un rôle fondamental dans les échanges cellulaires. En cas de carence, la production d'énergie est moins bonne et des crampes musculaires apparaissent. Le magnésium (Mg) est bien connu pour son action au niveau du système nerveux et de l'immunité. Le fer (Fe) est nécessaire au transport de l'oxygène dans le sang. C'est un minéral très important pour les personnes métaboliquement faibles face aux acides, c'est-à-dire qui, parmi d'autres faiblesses, oxydent mal les acides volatils. Le manganèse (Mn) agit comme catalyseur dans de nombreuses réactions biochimiques.

Pour une utilisation optimum de ces minéraux, il est très important que la proportion de chacun d'entre eux à l'intérieur du mélange soit bien choisie. En effet, dans l'organisme, l'utilisation des différents nutriments dépend d'équilibres subtils entre eux. Par exemple, la présence trop massive de l'un peut freiner l'assimilation de l'autre, ou, au contraire, le manque de l'un empêchera l'emploi d'un second, même disponible en grande quantité.

Les proportions des différents constituants des compléments basiques varient un peu d'une préparation à l'autre, mais toutes sont équilibrées. Cependant, quatre d'entre elles ne contiennent pas les cinq minéraux mentionnés. Ces mélanges seront donc choisis lorsque, pour une raison ou une autre, le ou les minéraux en question sont contre-indiqués. Ainsi, *Alkala* ne contient ni de magnésium, ni de fer, ni de manganèse. Le *mélange de base Flügge* est dépourvu de potassium et de fer. *Probase* de fer seulement et *Megabase* ne contient ni fer ni manganèse.

↗ Présence ou absence de sodium (Na)

Le sodium est un minéral que nous utilisons quotidiennement en grandes quantités, car il se trouve dans le sel de cuisine sous forme de chlorure de sodium. La propriété principale du sel est de retenir l'eau dans les tissus. Un gramme de sel retient onze grammes de liquide.

Un excès de sodium a donc pour conséquence des œdèmes locaux (chevilles ou doigts qui enflent) ou plus généraux. Les tissus étant gonflés, la pression sanguine augmente dangereusement (hypertension) et fatigue le cœur. Les reins subissent aussi une usure prématurée parce qu'ils sont responsables de l'élimination des excédents de sodium.

Au niveau des tissus, cet excès se corrige en diminuant les apports de ce minéral ou en augmentant ceux de potassium, son antagoniste. Si l'excès de sodium dans le corps a tendance à faire monter la pression sanguine et à tonifier de manière générale, sa carence conduit à l'hypotension et à l'apathie.

Parmi les compléments basiques, deux préparations ne contiennent pas de sodium. Il s'agit de *Basa Vita* et de *pHion Alkaline Minerals*. Cette deuxième préparation n'est vendue en Europe que sur Internet[2]. Bien qu'efficace sur tout le monde pour neutraliser les acides, ces préparations sont spécialement recommandées en cas de cure de désacidification, lorsqu'une personne souffre de rétention d'eau, d'œdèmes, de problèmes de cœur ou de reins.

À l'inverse, une autre préparation, *Rebasit*, possède une très forte teneur en sodium (74 %), ce qui la rend contre-indiquée dans les problèmes mentionnés ci-dessus. Elle est par contre favorable aux personnes hypotendues ou qui manquent de tonicité. Toutes les autres préparations contiennent des quantités modérées de sodium, qui sont d'ailleurs toujours associées à du potassium, l'antagoniste du sodium.

↗ La silice

La silice est un minéral acide puisqu'elle se présente sous forme d'acide silicique. On peut donc s'étonner qu'elle entre dans la composition des mélanges de bases, mais sa présence s'explique. La silice est d'une grande aide dans de nombreux troubles dont souffrent les personnes acidifiées, tels que perte de cheveux, fragilité des ongles, caries dentaires, troubles de la peau et douleurs articulaires. La solidité du squelette, des dents, des ongles et des cheveux, tout comme la souplesse de la peau, dépendent en grande partie de la silice.

Six mélanges basiques en contiennent: *Alkala, Basa Vita, Erbasit, Flügge, Mégabase, Rebasit*. La silice ne se manifeste pas de manière néfaste lors de la prise de ces préparations, car elle n'est présente qu'en quantités très réduites. De plus, associée à de nombreuses bases, ses propriétés acides sont neutralisées. Les effets bénéfiques peuvent donc être ressentis sans conduire simultanément à l'acidification.

---

[2] www.energiseforlife.com ou www.phionbalance.com

Il n'en va pas de même avec la silice contenue dans la prêle et le millet, deux végétaux souvent recommandés pour lutter contre les troubles de déminéralisation, car leur teneur en ce minéral est bien plus élevée que dans les compléments basiques.

↗ Autres minéraux

Quelques minéraux (le cuivre, le strontium et le vanadium) entrent dans la composition de la préparation *Basin*, mais dans aucune autre.

Dans l'organisme, ces minéraux ne jouent pas un rôle déterminant dans le système tampon. Ils peuvent néanmoins contribuer à rétablir l'équilibre acido-basique par leurs propriétés spécifiques. Le cuivre, par exemple, est essentiel pour la formation des globules rouges, donc dans le transport de l'oxygène et l'oxydation des acides qui en dépend. Le rôle du strontium et du vanadium est incertain.

Le produit *pHion Alkaline Minerals* contient du phosphore car ce minéral facilite l'utilisation du calcium.

↗ La forme des constituants

La forme sous laquelle se présentent les minéraux contenus dans le complément basique est importante car l'organisme doit être en mesure de les métaboliser correctement. Dans les préparations étudiées, ils sont apportés le plus souvent sous forme de sel, c'est-à-dire de l'association d'un acide et d'une base. Mais l'acide est choisi pour être faible et facilement oxydé, afin que le corps en soit débarrassé rapidement. Il ne reste ainsi qu'en présence de la base.

La plupart des mélanges sont constitués de citrates – qui sont des sels basiques d'acides faibles – dont la partie acide est facilement oxydée et éliminée par les poumons.

Les autres formes de minéraux basiques sont le carbonate, le tartrate, le sulfate, le gluconate et le lactate.

Les préparations contenant des acides faibles (mais tout de même des acides), leur pH peut se montrer acide lorsqu'il est mesuré avec du papier réactif. Cela ne signifie nullement que ces produits auront un effet acidifiant car, comme expliqué ci-dessus, la partie acide des sels absorbés est rapidement éliminée, même par les personnes souffrant d'une faiblesse métabolique face aux acides.

↗ Le petit-lait

Le petit-lait est bien connu pour ses vertus dépuratives. Il stimule l'élimination rénale (effet diurétique), intestinale (léger effet laxatif) et hépatique. Il favorise donc l'élimination des toxines en général et, entre autres, celles des acides.

Le petit-lait possède également des vertus reminéralisantes grâce à sa richesse en minéraux, qui sont d'ailleurs principalement basiques. Le minéral le plus représenté est le potassium, dont le petit-lait est exceptionnellement riche (2 %).

Associé aux mélanges de bases, le petit-lait est donc doublement utile : en favorisant l'élimination et en reminéralisant. Un produit contient du petit-lait : *Basa Vita*.

Les rares personnes pour qui le petit-lait est contre-indiqué sont les allergiques au sucre de lait ou lactose. Mais elles le savent très bien car elles sont allergiques aux produits laitiers.

↗ Plantes médicinales

Quelques plantes médicinales ont été rajoutées à certains mélanges : l'anis et l'absinthe, de même que le charbon végétal, stimulent les processus digestifs et luttent contre les fermentations intestinales *(Mégabase)*. L'*Erbasit* contient du sureau, du tilleul, du fenouil, de la camomille

et du souci. Ces plantes agissent aux niveaux digestif et élimi-
natoire. Elles soutiennent donc le processus de désacidification
déclenché par l'apport des minéraux basiques.

↗ Autres adjuvants

D'autres adjuvants font partie des mélanges de bases, mais ils
jouent un rôle négligeable sur la santé puisqu'il s'agit de substances naturelles (malt, dextrine, par exemple) utilisées comme
liant.

↗ Goût des préparations

La question du goût des compléments basiques ne doit pas
être négligée. Une cure de ces compléments pouvant durer des
mois, la régularité et la persévérance seront facilitées si le goût
du produit est agréable.

Une partie des préparations ont un goût neutre à plus ou
moins salin. Ce dernier provient des différents sels entrant
dans leur composition (*Alkabase, Alkala, Basin, Flügge, Ideal
Base Plus, Probase, Rebasit*). Quelques produits sont aro-
matisés avec de la pulpe de fruits : *Alcabase* et *pHion Alkaline Minerals* ont un goût de citron, *Erbasit* et *Basa Vita* un
goût orangé. *Mégabase* a un goût anisé et *Équilibre-Vital* une
saveur franchement différente : celle de bouillon.

Étant donné qu'aucun produit ne ressemble tout à fait à
un autre au point de vue du goût, les possibilités de variations
sont nombreuses.

↗ Présentation

Les compléments basiques sont disponibles sous forme de
poudre, à prendre mélangée à du liquide, ou de comprimés, à
avaler avec un peu d'eau.

Composition, goût et présentation des compléments basiques
(par ordre alphabétique)

Produit	Ca	K	Mg	Fe	Mn	Na	Si	Autres	Petit-lait	Plantes médicinales	Goût	Poudre	Comprimés
Alcabase	•	•	•	•	•	•					salin ou citron	•	•
Alkala	•	•				•					salin	•	
Basa Vita	•	•	•	•	•		•		•		orange	•	
Basin	•	•	•	•	•	•	•	Cu,Va,St			salin	•	
Equilibre-Vital	•	•	•	•	•	•					bouillon	•	
Erbasit	•	•	•	•	•	•	•			sureau	orange	•	
Flügge	•	•	•	•	•	•	•				salin	•	
Ideal Base Plus		•	•	•	•	•		vit. B_1, B_2, B_6, PP, Inositol, Zn			Salin		
Megabase	•	•	•		•	•	•			anis, absinthe, charbon végétal	anisé	•	•
pHion Alkaline Minerals	•	•	•	•	•			P			citron	•	•
Probase	•	•	•		•	•		Zn			salin	•	
Rebasit	•	•	•	•	•	•	•				salin	•	•

Intolérance
aux compléments basiques

En dehors des contre-indications signalées à propos des préparations contenant de fortes quantités de sodium, les compléments basiques sont de manière générale très bien tolérés. Il arrive exceptionnellement qu'au début d'une cure, des ballonnements et une légère diarrhée apparaissent. Le plus souvent, il ne s'agit cependant pas d'une intolérance véritable, mais d'une manifestation passagère due à un mauvais dosage : du jour au lendemain, des doses trop élevées ont été prises sans transition.

La solution à ce problème s'impose d'elle-même : lorsque l'on cherche le dosage idéal, il faut partir de petites doses et augmenter progressivement les quantités. Si, malgré cela, les troubles persistaient, il est vraisemblable que l'un des composants du mélange ne convienne pas à la personne en question. Dans ce cas, tout devrait rentrer dans l'ordre lorsqu'un autre produit est employé.

Dosage des compléments basiques

Contrairement à beaucoup de remèdes, il n'y a pas de posologie fixe pour les compléments basiques. Le dosage est toujours individuel et doit être trouvé de cas en cas par la personne concernée elle-même.

Pour déterminer ce dosage, il est fondamental de prendre autant de complément basique que nécessaire pour obtenir un pH urinaire se situant entre 7 et 7,5.

C'est parce qu'ils ignorent ou ne respectent pas cette règle que beaucoup de malades ne tirent pas tout le profit possible de leur cure. Le dosage des compléments basiques est nécessairement individuel, car le but d'une telle prise est d'apporter à l'organisme autant de bases dont il a besoin quotidiennement pour neutraliser les acides qui saturent ses tissus. Or, cette quantité varie selon l'individu puisque le degré d'acidification du terrain est différent d'une personne à une autre. Certaines personnes en auront nécessairement un besoin plus élevé que d'autres.

Lorsque le dosage est inférieur aux besoins de l'organisme, il y a certes neutralisation d'acides, mais en quantités bien moindres que celles qui auraient pu être neutralisées. Les bienfaits de la cure seront donc inférieurs aux attentes normales. La cure elle-même durera longtemps et n'aboutira jamais vraiment, car l'organisme manquera toujours de bases pour désacidifier le terrain en profondeur.

Le but de ces cures de compléments basiques est non seulement de neutraliser et d'éliminer les acides de surface, mais aussi ceux accumulés dans les profondeurs du terrain, jusqu'à ce qu'ils aient tous disparu et que la santé soit rétablie. Le terrain est ainsi véritablement désacidifié. Il s'agit alors d'une vraie guérison et non d'une guérison superficielle de symptômes. En effet, ce ne sont pas les symptômes de surface qui constituent la nature profonde des maladies par acidification, mais le terrain acidifié en profondeur.

Pour déterminer la posologie individuelle du complément basique choisi, il est indispensable d'effectuer d'abord une série de mesures du pH urinaire, pour en connaître la valeur moyenne. Pendant quatre à cinq jours, le pH urinaire sera ainsi mesuré à l'aide de papier réactif et les résultats inscrits sur un tableau adéquat (voir chapitre II). Au bout de ce laps de temps, le pH moyen de la personne apparaîtra nettement.

Prenons l'exemple d'une personne dont le pH urinaire est plus ou moins de 5 tout au long de la journée. Un tel pH est acide, même fortement acide, et témoigne d'un terrain acide lui aussi. Pour le désacidifier, la prise d'un complément basique s'impose, mais à quelle dose? Le plus sage et le plus physiologique est de commencer par des petites doses qui seront progressivement augmentées tant que le pH urinaire de 7 à 7,5 n'est pas atteint.

Admettons que le dosage du premier jour soit d'une cuillerée à café rase de poudre mélangée à de l'eau, avant les trois repas. Cet apport de bases aura inévitablement une incidence sur le pH urinaire. En mesurant ce dernier à différents moments de la journée, il s'avérera par exemple que la prise de bases l'a fait monter à 6. Ce pH est certes meilleur que celui de 5, mais il est encore loin de la valeur idéale de 7 à 7,5. La prise de bases devra donc être augmentée le deuxième jour. Elle pourra être fixée à 1 cuillerée à café bien rebondie (et non plus rase) de poudre, trois fois par jour. Le contrôle des mesures de ce jour-là montrera si le dosage est adéquat. Si l'augmentation permet d'obtenir un pH de 7 ou 7,5, la posologie personnelle a été trouvée et peut être maintenue pour la suite de la cure. Si le pH urinaire demeure en dessous de 7, la quantité de bases doit encore être augmentée progressivement pour atteindre le pH désiré. Par exemple, en prenant 2 cuillerées à café rase de poudre ou 2 cuillerées pleines, ou encore 3 cuillerées, etc.

Il ne faut pas avoir peur d'augmenter le dosage autant que nécessaire. Si les apports sont très importants, c'est que le corps en a besoin.

Une fois la posologie personnelle trouvée, elle est maintenue et les mesures du pH urinaire peuvent être interrompues.

Les personnes acides, mais dont l'urine est alcaline, ne peuvent se baser sur la mesure du pH urinaire pour doser leurs apports de compléments basiques. Elles doivent prendre une dose moyenne et essayer de se guider d'après la répression ou l'évolution des symptômes.

Le contrôle mensuel

Au fur et à mesure de l'avancement de la cure, les acides accumulés dans l'organisme sont neutralisés et éliminés. Leur concentration diminue progressivement, et avec elle, également les besoins organiques en bases pour les neutraliser. Après quelque temps, le dosage du début de la cure peut alors s'avérer trop important pour les nouveaux besoins.

Des contrôles du pH urinaire s'étendant sur un ou deux jours seront donc effectués tous les mois environ. Tant que le pH demeure entre 7 et 7,5, les apports de bases doivent être maintenus au même niveau. S'il est inférieur à 7, c'est-à-dire 6,5 ou en dessous, le dosage doit être réadapté à la hausse. Ce cas est cependant rare. Le plus souvent, après quelques semaines ou mois – certaines cures peuvent s'étendre sur une année ou deux – le pH monte à 8 ou plus. Cela signifie que le corps n'a plus besoin d'autant de bases que précédemment. Il rejette alors les excédents dans l'urine, qui devient tout naturellement plus alcaline.

Les bases excédentaires étant éliminées sans être utilisées, il faut en réduire les apports pour que le pH se situe à nouveau entre 7 et 7,5. De cette manière, l'organisme reçoit exactement les quantités de bases dont il a besoin pour corriger le terrain.

Le réajustement du dosage doit être effectué régulièrement au cours de la cure. Ainsi, de mois en mois, les quantités de bases prises en complément au régime alcalin diminuent progressivement.

Durée de la cure

Les cures de compléments basiques durent aussi longtemps que l'organisme en a besoin pour désacidifier le terrain. Ce temps est variable d'une personne à l'autre. Il peut s'étendre sur 6 mois ou 2 ans, en fonction du degré d'acidification. Ce temps peut sembler long, mais il est court lorsqu'on considère que le corps a accumulé des acides pendant de très nombreuses années avant que les troubles apparaissent et que la cure débute.

Le signe que la cure a atteint son terme et qu'elle peut être interrompue, est un pH urinaire de 7 ou 7,5, sans qu'aucun complément basique ne soit pris. Cette valeur s'instaurera tout naturellement, car plus la cure avance, plus les besoins en bases supplémentaires se réduisent. Il arrive ainsi qu'un jour, après un contrôle mensuel, le peu de bases encore pris peut être supprimé.

Bien sûr, il s'agit d'interrompre la cure de compléments basiques et non le régime alcalin suivi parallèlement. Celui-ci doit en effet être maintenu pour conserver les acquis. S'il est abandonné, l'acidification du terrain recommencera et des troubles réapparaîtront. Ce régime alcalin sera plus ou moins sévère selon les cas, il dépendra entièrement des capacités organiques de chacun face aux acides. Il restera strict pour les personnes métaboliquement faibles face aux acides, mais sera beaucoup plus large pour les autres. Dans tous les cas, le bien fondé du nouveau régime peut être contrôlé en vérifiant le pH urinaire. Si celui-ci redevient acide, c'est que le régime a été trop élargi.

À la fin d'une cure de compléments basiques, le terrain est débarrassé de ses acides. Cela se traduit par un état de vitalité et de bien-être depuis longtemps oublié. Beaucoup de gens l'expriment en disant qu'ils ne s'étaient jamais rendu compte combien on peut se sentir bien lorsque l'on est bien !

Lorsque la faiblesse métabolique face aux acides est trop importante, le régime à suivre pour maintenir le pH urinaire à 7 - 7,5 pourrait être si stricte qu'il serait non seulement presque impossible à suivre, mais probablement également carencé. En effet, les apports de protéines, de céréales, etc., seraient si réduits que l'organisme n'obtiendrait pas tous les nutriments dont il a besoin.

Dans de tels cas, les personnes métaboliquement faibles ne doivent pas chercher à suivre un régime parfait en théorie, mais irréalisable en pratique. Au contraire, il est conseillé de maintenir une certaine variété dans leur alimentation et de compenser les éventuels excès d'acides en continuant à prendre des compléments basiques. Dans certaines circonstances, c'est le seul moyen pour concilier les faiblesses organiques avec un mode d'alimentation physiologiquement et psychologiquement acceptable.

VII • Le drainage
des acides

Jusqu'à présent, il a été avant tout question de la manière de réduire les apports excessifs d'acides par l'adoption d'une alimentation adéquate et la prise de compléments basiques.

Il y a cependant deux causes à l'acidification du terrain. Les apports excessifs d'acides en sont une, l'autre est leur élimination insuffisante. Il nous reste donc à voir maintenant comment stimuler les organes chargés de cette élimination afin qu'ils rejettent autant d'acides qu'ils sont capables.

Les organes chargés de l'élimination des acides sont d'une part les reins et la peau et d'autre part les poumons. Il est important d'établir une distinction entre ces deux groupes d'émonctoires, car les acides qu'ils traitent ne sont pas les mêmes.

Les reins et la peau éliminent les acides forts, comme l'acide urique, l'acide sulfurique et l'acide phosphorique, c'est-à-dire les acides issus principalement des protéines animales. Les poumons éliminent les acides faibles – ou volatils – comme l'acide citrique, pyruvique, oxalique… issus des végétaux, sous forme de gaz carbonique (CO_2).

Les possibilités d'élimination des acides étant différentes selon leur caractère fort ou faible, nous allons successivement aborder le drainage des acides par les reins et la peau, puis par les poumons.

Drainage des acides par les reins

Bien qu'ils puissent aussi éliminer des acides faibles, les reins sont spécialisés dans le traitement des acides forts. Cette élimination est limitée en quantité, car elle est relativement difficile à effectuer. En effet, les reins ne peuvent pas simplement « *s'ouvrir* » pour rejeter les acides hors de l'organisme. Au contraire, un ensemble de processus complexes doivent être mis en œuvre. Tout d'abord, les déchets doivent être filtrés hors du sang. Ensuite, ils sont préparés – en étant dilués dans du liquide – de manière à ne pas blesser les muqueuses du système urinaire. Ils sont ensuite conduits jusqu'à la vessie, puis stockés là jusqu'à être rejetés hors de l'organisme par l'urine.

Les quantités d'acides que les reins éliminent chaque jour peuvent être insuffisantes pour débarrasser l'organisme des acides apportés et produits ce jour-là. Une réforme alimentaire, qui diminue l'apport d'acides, est alors conseillée pour pallier à cet inconvénient. Mais il est aussi indispensable de stimuler les reins à travailler plus intensément afin d'accroître les quantités d'acides filtrées et évacuées. Cette stimulation s'avère d'autant plus nécessaire que chez beaucoup de gens, les reins fonctionnent en dessous de leurs possibilités réelles. Il ne s'agit pas à proprement parler de maladie des reins, mais d'une insuffisance ou d'une paresse rénale qui diminue ses possibilités d'élimination.

Une première manière de stimuler le travail des reins consiste à augmenter les quantités de boissons consommées. Une grande partie du processus de filtrage rénale est en effet due à la différence entre la pression sanguine qui pénètre dans le filtre rénal et celle de la résistance que lui oppose ce filtre. Si la pression sanguine est supérieure à celle du filtre, le sang est poussé à travers ce filtre et débarrassé de ses acides. Dans le cas contraire, la filtration se fait mal, car le manque de pression l'en empêche. Or, en buvant davantage que d'habitude, le volume sanguin augmente et exerce une pression plus importante. La conséquence en est inévitablement une diurèse plus abondante.

Le rôle de la pression sur la diurèse explique pourquoi le café – qui augmente la pression sanguine – a un effet diurétique, mais également pourquoi la peur donne envie d'uriner (les sécrétions d'adrénaline ont un effet hypertenseur).

Un moyen efficace de boire suffisamment au cours de la journée, et de ne pas oublier de le faire, consiste à boire systématiquement après chaque miction. En effet, la miction est déclenchée par une présence trop importante de liquide dans le corps. L'évacuation de ce liquide met donc l'organisme en dessous du seuil de tolérance qui l'obligeait à éliminer de l'eau en excès. Et il restera en dessous de ce seuil tant qu'un nouvel apport n'est pas réalisé. Cependant, le fait de boire tout de suite après la miction et, en plus, une quantité équivalente ou supérieure à celle éliminée, fait remonter le taux de liquide au-dessus du seuil de tolérance. Une nouvelle diurèse sera ainsi automatiquement déclenchée. En répétant ce processus tout au long de la journée, on favorise des diurèses beaucoup plus nombreuses et plus importantes que d'habitude.

Le volume de liquide qui transite ainsi à travers l'organisme favorise l'élimination des toxines, car il peut facilement diluer et transporter de nombreux acides et sels sans que les urines ne deviennent trop concentrées. Le lit d'un ruisseau est également mieux nettoyé si de grandes quantités d'eau y coulent, plutôt qu'un maigre filet seulement.

Si l'abondance de liquide favorise l'élimination, il est aussi possible d'augmenter les quantités d'acides évacuées en stimulant les capacités de filtration des reins par des plantes médicinales diurétiques. Ces plantes permettent aux reins de traiter des quantités plus importantes de toxines et l'organisme en sera ainsi débarrassé beaucoup plus rapidement.

Le nettoyage se déroule de la manière suivante. Sous l'action des plantes, c'est d'abord le filtre rénal qui se nettoie des déchets qui l'encombrent. Une fois nettoyé, il débarrassera à son tour le sang des acides qui s'y trouvent, permettant alors à ceux qui sont à l'extérieur des capillaires sanguins – donc un peu plus en profondeur – de regagner la circulation générale pour être conduits aux reins. Une fois ces acides éliminés, ceux situés plus en profondeur encore remonteront. Une telle élimination touche des tissus de plus en plus profonds et éloignés, nettoyant ainsi finalement l'ensemble du terrain.

Pour être efficaces, les plantes diurétiques doivent être dosées correctement. Généralement, le dosage est trop faible. La personne qui effectue la cure consomme certes les plantes en question, mais en quantité si faible que l'effet est très réduit, voire inexistant dans certains cas. Lorsque les plantes sont dosées correctement, les effets se manifestent très nettement : les urines sont davantage chargées en acides, elles prennent une teinte plus accentuée et leur odeur devient plus prononcée. De plus, la fréquence des mictions augmente nettement et les quantités éliminées aussi. Pour trouver la dose optimum, il faut donc augmenter les dosages moyens suggérés jusqu'à l'obtention des effets souhaités.

Les plantes diurétiques sont à prendre au moins trois fois par jour, matin, midi et soir, afin que les reins soient soutenus dans leur travail toute la journée. Les cures doivent s'étendre sur quatre à six semaines environ et être renouvelées dans le temps, après une pause d'une à deux semaines. Il s'est aussi montré judicieux de changer de plantes d'une cure à l'autre, et parfois au cours de la cure, car l'organisme a tendance à s'habituer aux plantes et à ne plus réagir aussi fortement à leurs stimuli.

Comme les aliments, ces plantes peuvent aussi contenir des acides et être contre-indiquées pour les personnes souffrant d'une faiblesse métabolique. Il s'agit principalement de la prêle – riche en acide silicique – et du bouleau.

Préparées sous forme d'infusion, les plantes diurétiques présentent l'avantage d'amener du liquide, en plus de l'effet diurétique. Cependant, leur préparation demande un certain temps et tout le monde n'aime pas nécessairement en boire. Heureusement, des comprimés de plantes, ou des teintures mères, sont des alternatives tout aussi valables. Elles sont d'ailleurs plus pratiques à utiliser lorsque l'on voyage ou que l'on mange à l'extérieur.

↗ Plantes médicinales pour le drainage des acides

Seront abordés successivement : les infusions, les décoctions, les teintures mères, les comprimés et les tisanes.

Infusion : boisson obtenue en soumettant une plante quelques minutes à l'action de l'eau chaude.

Cassis

Les feuilles sont diurétiques et donnent une boisson très agréable.
- Une poignée (40 g) de feuilles pour 1 litre d'eau, ou une cuillerée à soupe pour 1 tasse.
- Infusion 10 minutes. 3 tasses au moins par jour, avant ou entre les repas.

Artichaut

Les feuilles, et non les bractées de la fleur que l'on mange, ont une bonne action diurétique. Elles stimulent en outre le travail du foie. Boisson amère.
- 10 g de feuilles pour 1 litre d'eau ou 1 cuillerée à café pour 1 tasse.
- Infusion 10 minutes. 3 tasses par jour avant les repas.

Décoction : boisson obtenue en faisant bouillir une plante dans de l'eau, le couvercle de la casserole fermé.

Queues de cerises

Les pédoncules ou queues sont utilisés pour leur action diurétique. Garder les queues des cerises lorsqu'on les mange et les faire sécher. Boisson rafraîchissante.
- Une poignée pour 1 litre d'eau.
- Bouillir 10 minutes. 3 tasses par jour au moins.

Aubier de tilleul
Excellent draineur des acides, il est recommandé pour tous les rhumatismes. Il dissout aussi les calculs.
- 40 g d'écorces pour 1 litre d'eau.
- Laisser bouillir jusqu'à réduction d'un quart de litre. Boire dans la journée. Cure de 20 jours par mois, à répéter.

Teinture mère (gouttes): liquide obtenu par la dissolution des principes actifs de la plante dans un support d'alcool.

Pilosella
Excellent diurétique et désinfectant des voies urinaires.
- 3 x 30 à 50 gouttes par jour, avec un peu d'eau, avant les repas.

Busserole ou raisin d'ours
Diurétique très connu pour son action désinfectante sur les voies urinaires.
- 3 x 20-40 gouttes/jour, avec un peu d'eau, avant le repas.

Comprimés: après séchage, les plantes médicinales sont réduites en poudre, puis pressées en comprimés.

Chiendent
Excellente plante de nettoyage. En raison de son goût, il est préférable de l'utiliser en comprimés.
- 3 x 1 à 3 comprimés/jour, avec de l'eau, avant les repas.

Frêne
Bon éliminateur des acides. Ingéré à forte dose, il a un effet purgatif.
- 3 x 1 à 2 comprimés/jour avec de l'eau.

Tisane : mélange de plantes. Se prépare comme une infusion.

• **Solidago**	40 g	1 à 2 c. à soupe par tasse
• **Frêne**	30 g	Infusion 10 mn
• **Pariétaire**	30 g	3 tasses par jour

• **Cassis**	25 g	1 à 2 c. à soupe par tasse
• **Orthosiphon**	25 g	Bouillir 2 mn et
• **Chiendent**	30 g	infuser 10 mn
• **Chardon**		3 tasses par jour
Roland	20 g	

• **Sureau**	40 g	1 à 2 c. à soupe par tasse
• **Réglisse**	20 g	Bouillir 2 mn, infuser 10 mn
• Stigmate de maïs	20 g	3 tasses par jour

En outre, il existe dans les commerces de nombreux mélanges de plantes diurétiques disponibles en tisane, teinture mère, comprimé, etc. Ces préparations sont généralement très efficaces et on les utilisera avec profit.

↗ La cure du petit-lait pour le drainage des acides

Le petit-lait est le résidu liquide obtenu après la coagulation du lait. C'est le liquide qui s'échappe du caillé lorsqu'il est mis à égoutter. Les vertus détoxiquantes du petit-lait sont connues depuis l'Antiquité. Parmi celles-ci, ce sont avant tout ses propriétés diurétiques qui nous intéressent ici.

Le petit-lait doit son puissant effet diurétique à sa haute teneur en potassium. En chassant le sel excédentaire hors de l'organisme, le potassium provoque l'élimination des liquides retenus à cause de la présence du sodium, liquides contenant entre autres des acides. De plus, les fortes quantités de petit-lait absorbées au cours de la cure – jusqu'à 2 à 3 litres par jour – représentent un apport considérable de liquide qui forcera les reins à travailler plus intensivement. Le grand médecin anglais Sydenham (1624-1689) recommandait tout spécialement, et avec succès, les cures de petit-lait pour soigner la goutte, une maladie due à un excès d'acides, l'acide urique en l'occurrence.

Les bienfaits du petit-lait pour rétablir l'équilibre acido-basique ne résident pas seulement dans ses propriétés éliminatrices. C'est une boisson très riche en minéraux (environ 5 % de son poids sec), principalement basiques : potassium, calcium et magnésium, qui contribuent à combler les carences en bases.

L'effet alcalinisant du petit-lait n'est cependant effectif que lorsqu'il est frais, car il s'acidifie très vite. Déjà quelques heures après sa fabrication, il peut perdre ses propriétés alcalines et, par conséquent, être contre-indiqué. C'était un problème courant dans le passé où les cures se faisaient avec du petit-lait liquide. De nos jours, on fabrique une poudre à partir de petit-lait frais qui permet de disposer d'un produit alcalin ne s'acidifiant pas lors de sa conservation. Vendu en magasins diététiques, il est aussi disponible aromatisé, avec des extraits naturels de fruits. On reconstitue le petit-lait en mélangeant de la poudre et de l'eau selon les instructions du fabriquant. Une fois reconstitué, le liquide doit être bu rapidement (dans l'heure) pour éviter qu'il ne s'acidifie.

La cure se déroule de la manière suivante : le petit-lait est bu à raison de 3 à 5 verres de 2 à 3 dl par jour. Sous l'action conjuguée de ses propriétés et des quantités ingurgitées, l'effet diurétique se fera rapidement sentir.

Un temps d'adaptation est cependant nécessaire à l'organisme. Le premier jour de la cure, on ne boira qu'un verre de petit-lait. Le deuxième, deux verres, etc., jusqu'à ce que les cinq verres par jour soient atteints. Ensuite, cette quantité est maintenue pour le reste de la cure, qui durera entre 2 et 3 semaines[3].

Drainage des acides par la peau

Tout comme les reins, la sueur éliminée par les glandes sudoripares permet d'éliminer les acides forts. Il y a entre 70 et 120 glandes sudoripares par cm2 de peau, ce qui représente environ 2 millions de glandes pour l'ensemble du corps.

Les glandes sudoripares agissent comme un simple filtre sur les acides et les toxines charriés par le sang. En traversant ce filtre, les acides sont retenus et rejetés à l'extérieur, dilués dans de l'eau (la sueur). Le sang qui amène les déchets circule dans des vaisseaux très fins : les capillaires. Par conséquent, la sudation ne sera abondante que si la circulation sanguine au niveau cutané est bonne. Celle-ci est favorisée et améliorée par l'exercice physique et l'apport de chaleur (sauna, bains chauds).

Il est bien connu que l'activité physique stimule la circulation sanguine grâce aux contractions musculaires engendrées par l'exercice. Quant à la chaleur, elle agit en dilatant les capillaires et en accélérant la vitesse de circulation du sang.

Dans des conditions normales, la peau rejette entre 1 et 1,5 litre de sueur par jour. Nous n'en sommes pas conscients car la plupart du temps, elle s'évapore directement. Lorsque quelqu'un mène une vie très sédentaire, la sudation peut se réduire à un demi-litre par jour. L'élimination des acides par la peau est alors très faible.

Une peau stimulée par l'exercice intense peut éliminer 1/2 litre de sueur en une heure ! Et cette élimination peut

---

[3] Lire du même auteur : *La cure de petit-lait,* Éd. Jouvence, 1994.

être plus importante encore avec le sauna, puisque grâce à lui, jusqu'à 1,5 litre de sueur est évacué en une séance, c'est-à-dire également en une heure environ.

Lors d'une bonne fièvre, un malade en élimine des quantités équivalentes ou supérieures.

Une élimination insuffisante d'acides par la peau peut donc être rattrapée et compensée volontairement par des séances d'exercices physiques ou le sauna. Ces deux procédés étant bien connus, nous allons plutôt exposer et développer celui des bains chauds, appelés aussi bains hyperthermiques. Ceux-ci sont très simples à réaliser puisqu'ils ne nécessitent qu'une baignoire et de l'eau chaude. La chaleur créera une fièvre artificielle, qui engendrera une forte sudation, donc une forte élimination d'acides.

↗ Les bains hyperthermiques

Marche à suivre
On entre dans le bain à 37 °C environ. La température est ensuite augmentée progressivement en rajoutant de l'eau chaude jusqu'à atteindre le seuil de tolérance, c'est-à-dire juste avant que la sensation de chaleur ne devienne trop vive. Bien que très chaud, le bain doit être bien supporté; on doit s'y sentir à l'aise. Il ne faut pas chercher à atteindre la température la plus élevée possible, mais trouver celle qui permette au bain de durer d'un bon quart d'heure. Selon la résistance individuelle, la température du bain variera entre 39° et 42 °C ou plus.

Le but du bain hyperthermique est d'apporter beaucoup de chaleur à l'organisme. Si les températures élevées sont mal supportées, on peut se rattraper en restant plus longtemps dans la baignoire.

Il est impératif que l'organisme s'habitue progressivement au bain hyperthermique, et on n'hésitera pas à n'augmenter la température et la durée des bains que graduellement, sur plusieurs semaines, avant d'atteindre le maximum personnel. Le bain hyperthermique a une action rééducative sur la peau. Quelqu'un qui, généralement, transpire mal, transpirera plus facilement après quelques bains.

Il est déconseillé d'entrer brusquement dans l'eau chaude, même lorsqu'elle est bien supportée. En effet, l'organisme se défend face à cette soudaine agression thermique en fermant les pores de la peau. Ceux-ci ne s'ouvriront alors que lentement et les effets attendus sont en grande partie annihilés.

Lorsque le bain est terminé, on sort doucement de l'eau et on s'étend une demi-heure, emmailloté dans un linge éponge et une couverture. Ce repos permet à l'organisme d'achever sa sudation et de retrouver son équilibre.

Suivant la vitalité, on peut prendre un bain tous les jours pendant 2 ou 3 semaines, ou tous les deux jours pendant plusieurs mois. Le bain se prend généralement le soir, car il détend bien l'organisme et favorise le sommeil.

Mode d'action

Lorsque le corps baigne dans l'eau chaude, il accumule rapidement de la chaleur. On peut facilement vérifier l'augmentation de la température corporelle par un thermomètre mis dans la bouche. Le bain hyperthermique crée une *fièvre artificielle* et a donc les mêmes propriétés que la fièvre naturelle.

La fièvre, rappelons-le, est un moyen de défense qu'emploie l'organisme pour intensifier les métabolismes et accélérer les échanges afin de brûler les déchets – entre autres les acides – qui saturent le terrain organique. Elle est donc une réaction de défense bienfaisante qui permet à l'organisme de normaliser rapidement le milieu humoral. Si elle n'existait pas, le corps se saturerait irrémédiablement de déchets et n'aurait jamais la possibilité de faire une bonne crise de nettoyage pour « *rattraper son retard* ».

Lorsque les combustions s'intensifient pendant la fièvre, les déchets et les acides qui se trouvent un peu partout dans l'organisme sont dégradés pour fournir des matériaux énergétiques ou constructeurs : *il y a donc combustion des toxines non circulantes incrustées en profondeur.*

Remarques

En négligeant la nécessaire progression dans les applications, on peut déclencher un départ massif de toxines profondes (crises de nettoyage). En remontant brusquement à la surface au niveau du sang, et en s'ajoutant aux toxines circulantes, elles peuvent dépasser complètement la capacité d'élimination des émonctoires et d'oxydation du corps. Des troubles très désagréables, tels que des maux de tête, des nausées et des crises rhumatismales, peuvent en résulter. On peut les éviter en procédant progressivement et en drainant les toxines circulantes avant de faire une cure intensive de bains hyperthermiques.

Des tisanes sudorifiques sont également utiles avant et après le bain. Pendant le bain, des frictions peuvent intensifier le travail de la peau.

↗ Plantes médicinales et élimination des acides par la peau

Une intensification du travail des glandes sudoripares par la prise de plantes médicinales est possible. Ces plantes sont dites sudorifiques car elles augmentent la sécrétion de sueur. Par conséquent, elles augmentent aussi la quantité d'acides éliminés. Bien sûr, la sudation ne sera principalement visible que lorsque le corps a des raisons de transpirer, en cas de chaleur ou d'effort physique.

Néanmoins, la prise régulière de sudorifiques aide les *pores bouchés* à se nettoyer et à travailler plus activement.

Les préparations se prennent trois fois par jour, bien chaudes s'il s'agit de boissons. L'effet des bains hyperthermiques, des séances de sudation par le sauna, de l'exercice physique ou de tout autre procédé, est renforcé si l'on boit, avant et après la séance, une ou deux tasses d'infusion bien chaude de plantes sudorifiques.

Voici un choix de plantes médicinales sudorifiques :

Infusion

Sureau
Les fleurs de sureau sont sudorifiques et diurétiques. Elles donnent une boisson très agréable.
• Une cuillerée à soupe de fleurs par tasse, infusion 10 minutes, 3 tasses par jour.

Tilleul
Bien connu de tous, le tilleul est utilisé depuis fort longtemps pour ses vertus sudorifiques et calmantes.
• Une bonne poignée par tasse (15 à 30 g par litre), infusion 10 minutes, 3 tasses ou plus par jour.

Décoction

Bardane
Cette plante est diurétique, cholérétique et laxative. Elle est souvent recommandée dans les maladies de peau.
- 40 g de racines pour 1 litre d'eau, bouillir 10 minutes, 3 tasses par jour.

Teinture mère

Pensée sauvage
Cette plante est très efficace pour les maladies de la peau. En plus de ses vertus sudorifiques, elle est un bon dépuratif général.
- 20 à 50 gouttes avec de l'eau, 3 fois par jour avant les repas.

Bardane
- 40 gouttes avec de l'eau, 3 fois par jour avant les repas.

Tisane

• Tilleul	25 g	
• Fleurs de sureau	30 g	1 c. à soupe par tasse,
• Bourrache	40 g	infusion 10 minutes
• Mélisse	5 g	
• Violette	5 g	

• Reine-des-prés	20 g	
• Pensée sauvage	30 g	1 c. à soupe par tasse,
• Camomille	30 g	infusion 10 minutes
• Fleurs de prunellier	20 g	
• Primevère	20 g	

Drainage des acides
par les poumons

Les poumons jouent un rôle double dans l'élimination des acides. D'une part, c'est grâce à l'oxygène qu'ils absorbent que les acides volatils peuvent être oxydés. Cette transformation a lieu non pas dans les poumons eux-mêmes, mais dans les tissus. L'oxygène ne doit donc pas seulement entrer en suffisance dans les voies respiratoires, mais il doit en plus être conduit suffisamment en profondeur par le sang pour que l'oxydation des acides puisse se faire dans les tissus. D'autre part, les acides sont rejetés par les voies respiratoires sous forme de gaz carbonique (CO_2). Produit dans les tissus (et présent à ce niveau-là sous forme liquide), ce gaz doit parvenir aux poumons et être rejeté en suffisance vers l'extérieur (sous forme gazeuse) pour que l'organisme en soit véritablement débarrassé.

Étant donné que tout le monde respire, on pourrait penser qu'il ne devrait y avoir aucun problème d'élimination des acides par les voies respiratoires. Cependant, il en existe un car tout le monde ne respire pas de la même manière. D'une personne à l'autre, le débit d'air peut varier du simple au double, ou davantage. Si une personne au repos inspire 1/2 litre d'air par respiration, une personne active en inspirera 1 litre, c'est-à-dire le double. Quant au sportif en pleine action, il brassera 5 à 6 litres d'air par respiration, c'est-à-dire 10 à 12 fois plus.

Si 1/2 litre d'air par respiration est un apport suffisant pour une personne au repos (qui dort par exemple), il est insuffisant pour une personne sédentaire qui travaille et mange. Or, plus l'activité et l'alimentation sont abondantes, plus l'organisme a besoin d'oxygène. Lorsqu'il n'en reçoit pas en suffisance, les oxydations se font mal. La production d'acides est alors accrue. De plus, le volume d'air exhalé étant très réduit, la quantité de

CO_2 éliminé l'est également. Il en résulte une acidification de l'organisme par les acides faibles.

Les effets bénéfiques d'une bonne oxygénation sur le pH ont déjà été décrits. Une personne qui travaille assise dans un bureau mal aéré pendant tout un après-midi a tendance à s'acidifier. En mesurant son pH urinaire, elle constatera que celui-ci se situe par exemple à 5 ou 6. Il remontera cependant à 7 suite à une promenade en plein air, et ceci sans qu'aucun aliment ou complément basique ne soit pris. Mais cela n'est vrai que si la cause de l'acidification est le manque d'oxygène.

Le mouvement entraînant une intensification de l'amplitude respiratoire, c'est-à-dire de plus grandes inspirations et expirations, toutes les activités physiques sont bonnes pour drainer les acides. Marche, course à pied, vélo, gymnastique, et un grand nombre de sports sont indiqués. Ils gagnent d'ailleurs à être pratiqués quotidiennement, car ils permettent d'oxyder et d'éliminer les acides volatils au fur et à mesure de leur production. Ainsi, il est préférable de marcher tous les jours 30 minutes en plein air plutôt que de marcher 3 heures de suite le week-end.

Comme on peut le constater, l'élimination des acides faibles est beaucoup plus facile que celle des acides forts. Ces derniers ne peuvent effectivement être évacués par les reins qu'en quantités limitées chaque jour. Il n'y a cependant pas de limite quotidienne pour les acides faibles (volatils) qui sont éliminés en quantités correspondantes à l'oxygénation effectuée au cours de la journée.

Jeûnes et monodiètes sont-ils des moyens efficaces pour désacidifier ?

Les cures de drainage effectuées pour soigner d'autres troubles que ceux dus à l'acidification sont généralement accompagnées de mesures diététiques, telles les jeûnes ou les monodiètes. La raison en est qu'à la faveur des restrictions alimentaires, le corps fait remonter des quantités importantes de toxines des profondeurs tissulaires, afin de les conduire aux émonctoires où elles seront éliminées.

Ces diètes ne sont cependant pas les plus favorables lors des cures de désacidification et ne doivent pas être recommandées systématiquement. L'arrivée massive d'acides qu'elles déclenchent peut mettre en difficulté les personnes souffrant d'une faiblesse métabolique face aux acides.

Examinons d'abord le cas des jeûnes. De tous les acides qui remontent des profondeurs, seule une petite quantité pourra être éliminée telle quelle par les émonctoires. Tous les autres devront être oxydés ou tamponnés. Or, les personnes qui présentent une faiblesse métabolique ont déjà, en temps normal, de la peine à oxyder les acides. Il y a donc peu de chances qu'elles réussissent mieux à le faire pendant le jeûne, lorsque les acides se présentent en quantités accrues.

Quant au tamponnage des acides, il n'est pas plus facile à opérer. D'une part, parce que les réserves de bases sont généralement déjà bien entamées, et d'autre part, parce que sans alimentation, aucun apport de bases extérieures ne pourra soutenir le système tampon. Le corps puise donc dans ses réserves sans pouvoir les reconstituer à mesure. Il y a un grand risque de déminéralisation.

La situation est différente pour les personnes ne souffrant pas de faiblesse métabolique. Pendant le jeûne, leur organisme n'a plus à oxyder des acides amenés par les aliments et peut se concentrer sur ceux déjà présents dans le corps. Comme leurs facultés de brûler les acides faibles est bonne, elles pourront en oxyder une grande quantité. Possédant de bonnes réserves corporelles en bases, le tamponnage des acides se fera bien également.

En ce qui concerne les monodiètes, plusieurs cas se présentent. De manière générale, elles ne sont favorables que lorsqu'elles sont effectuées avec des aliments basiques, comme des carottes, des pommes de terre, etc., et ceci peu importe qu'une personne souffre d'une faiblesse métabolique face aux acides ou non. L'apport de bases étant important au cours d'une monodiète, et non accompagné d'acides, les bases pourront être entièrement utilisées pour tamponner les acides accumulés. De plus, l'énergie économisée au niveau digestif (grâce à l'absence de repas compliqué) pourra être utilisée pour intensifier l'élimination des acides par les reins et les glandes sudoripares.

À l'opposé, les monodiètes composées d'aliments acidifiants sont néfastes, car l'apport d'acides n'est pas compensé par des bases alimentaires. Pour neutraliser les acides – aussi bien ceux qui sont se sont accumulés dans l'organisme que ceux apportés par la monodiète – le corps devra puiser entièrement dans ses réserves sans pouvoir remplacer les bases utilisées par de nouveaux apports alimentaires.

Les monodiètes aux aliments acides – comme les fruits – sont strictement à éviter pour les personnes métaboliquement faibles face aux acides, mais fortement recommandées pour les autres. Effectivement, ces dernières étant capables d'oxyder les acides faibles des fruits, ceux-ci seront transformés en bases et les aideront à alcaliniser leur terrain.

VIII • Les revitalisants basiques

En plus de la prise de compléments basiques pour soutenir les efforts de désacidification de l'organisme, les personnes acidifiées souhaiteront peut-être aussi prendre des revitalisants, riches en vitamines et minéraux, pour augmenter leur vitalité générale. Les produits le plus souvent utilisés sont : le pollen, le germe de blé, la levure de bière, etc. Ils possèdent un large éventail de nutriments sous une forme naturelle et hautement assimilable et représentent une aide certaine pour revitaliser les organismes fatigués ou malades.

Malheureusement, certains de ces produits sont acidifiants, et donc contre-indiqués aux personnes souffrant de troubles par acidification. Il s'agit avant tout de l'*argousier*, riche en vitamine C et en silice, de la *levure de bière*, qui contient des purines (précurseurs de l'acide urique), du *pollen* et, dans une moindre mesure, de la *gelée royale*.

Ces produits ne sont pas nécessairement à proscrire complètement, mais leur emploi est délicat. Il est dès lors préférable d'utiliser des revitalisants alcalins. Parmi ceux-ci, nous trouvons la *spiruline*, la *mélasse noire*, le *ginseng*, le *germe de blé* et l'*huile de foie de flétan*.

Les propriétés, les indications et le mode d'emploi de ces revitalisants sont exposés ci-dessous. Il n'y a aucune raison de ne pas utiliser simultanément un complément et un revitalisant basiques. Le risque de surcharge ou de double emploi n'existe pas, car les revitalisants ne sont pas caractérisés par une haute teneur en minéraux basiques, mais bien par leur teneur élevée en vitamines, oligoéléments et autres nutriments.

La spiruline

La spiruline est une algue d'eau non-marine. Elle prospère le mieux dans des eaux alcalines, dont le pH se situe entre 8,5 et 11 ! L'usage alimentaire de la spiruline n'est pas récent. Par tradition, différentes peuplades africaines en consomment depuis longtemps pour varier leur alimentation, essentiellement composée de millet. Par ailleurs, les Aztèques cultivaient cette algue dans leurs lacs. Récoltée à l'aide de paniers aux fines mailles qui laissaient s'écouler l'eau, mais retenaient « l'écume verte », elle était mise à sécher, puis transportée dans tout l'empire aztèque.

Objet de nombreuses études, la spiruline est reconnue aujourd'hui comme un revitalisant de premier ordre.

Elle contient plus de protéines, de bêta-carotène (vitamine A), de vitamine B 12, de fer et d'acide gamma-linolénique (vitamine F) qu'aucun autre aliment connu. Sa teneur en vitamine E est égale à celle du germe de blé, sa source la plus abondante. Sa concentration en calcium et en magnésium équivaut celle du lait. Elle contient en outre toute une série de vitamines, de minéraux et d'oligoéléments.

Il suffit de 10 grammes de poudre de spiruline pour couvrir cinq fois les besoins journaliers en vitamine B 12, quatre fois ceux en vitamine A, 83 % des besoins en fer, 30 % de ceux de vitamine B 2, 25 % de ceux de vitamine B 1, etc.

La spiruline est particulièrement recommandée en cas de fatigue, d'anémie et pour les problèmes de vue, de règles et de peau. Elle permet en outre de fortifier le système immunitaire et facilite l'élimination des poisons qui encombrent le terrain.

Elle se présente sous forme d'une poudre vert foncée, avec une très légère odeur. Elle s'utilise soit en poudre, soit en comprimés ou gélules.

Incorporée aux aliments, la spiruline en poudre communique sa couleur à tous les mets. Pour cette raison, elle est plutôt utilisée sous forme de comprimés pour les cures de revitalisation. Un comprimé contient environs 500 mg de spiruline. La dose journalière recommandée est de 10 g pour les cures intensives, ce qui correspond à 20 comprimés ou une cuillerée à soupe bien rebondie de poudre. Pour les cures d'entretien ou lorsqu'il n'y a pas urgence, les doses peuvent facilement être divisées par deux ou trois. La spiruline se prend à raison de trois prises par jour : avant les repas avec de l'eau pour les comprimés, aux repas s'il s'agit de poudre mélangée aux aliments.

Comme toutes les cures de revitalisants, la cure de spiruline s'étend sur plusieurs semaines. Il faut en effet bien 1 à 2 mois pour que les apports journaliers réussissent à combler le gros des carences organiques.

La mélasse noire

La mélasse noire est un sous-produit de la canne à sucre, obtenu à la pression des cannes. Il en résulte un jus très riche en sucre, mais aussi en minéraux, vitamines, oligoéléments, etc.

Pour séparer le sucre du reste des éléments, le jus est mis à chauffer dans une cuve. La chaleur fait cristalliser le sucre qui, à cause de son poids supérieur à celui des autres constituants, descend au fond de la cuve : c'est le sucre complet. Dans la partie supérieure reste une purée épaisse et foncée contenant l'essentiel des nutriments de la canne à sucre : la mélasse noire.

Le sucre complet obtenu par ce procédé n'est donc pas le plus complet que l'on puisse se procurer. En effet, le sucre intégral contient et la mélasse noire et le sucre. Il est fabriqué sans cuisson, mais en exposant au soleil le jus de canne à sucre sur de grandes cuves plates afin que le liquide s'évapore.

Bien que contenant encore du sucre, la mélasse noire est avant tout utilisée pour sa teneur très élevée en minéraux. 100 g de mélasse noire contiennent en effet 1900 à 3300 mg de potassium, 800 à 1400 mg de calcium, 200 à 400 mg de magnésium, 15 à 28 mg de fer, etc. Sa teneur en potassium est supérieure à celle du soja, de la levure de bière, des légumes et des fruits, aliments qui sont considérés comme les sources les plus importantes de potassium.

La mélasse noire est aussi riche en magnésium que le germe de blé, les amandes, les figues et les dattes, généralement recommandés comme bonnes sources de magnésium. Il en va de même avec le fer, présent dans la mélasse noire à des taux tout aussi élevés que le foie, les épinards, les abricots et les œufs.

Cette substance est spécialement recommandée en cas d'anémie, de crampes, d'œdèmes, de rhumatismes, d'insomnie et de stress.

La mélasse noire est disponible sous forme liquide ou solide (flocons). Elle a une saveur légèrement sucrée, mais avec un goût prononcé de canne à sucre.

La dose quotidienne est de 2 à 3 cuillerées à café bien pleines de liquide ou 1 à 2 cuillerées à soupe de flocons. Elle se consomme en une fois, ou répartie en trois prises par jour, sous forme de boisson froide ou chaude. Pour les boissons chaudes, la mélasse noire est directement mélangée dans l'eau. Pour les boissons froides, il faut d'abord la dissoudre dans un fond d'eau chaude avant d'ajouter de l'eau froide.

Il est conseillé de boire lentement la préparation et de bien l'insaliver, pour éviter des ballonnements.

Les cures s'étendent sur 1 à 2 mois, mais peuvent durer plus longtemps si besoin.

Le ginseng

Le ginseng est une plante d'Extrême-Orient qui pousse dans les sous-bois. Depuis plus de 4000 ans, elle est connue et utilisée pour ses vertus curatives et revitalisantes. Dans le temps, elle était si appréciée qu'on la vendait pour son propre poids en or.

De toute la plante, c'est la racine qui est utilisée. En cours de croissance, elle acquiert des dimensions énormes par rapport à la partie aérienne de la plante. La racine peut atteindre 120 cm de long et de 10 cm de large, pour une tige d'une hauteur de 30 à 80 cm seulement. Six à sept années de croissance sont nécessaires avant que la racine puisse être utilisée. La richesse des propriétés du ginseng peut se mesurer à l'épuisement des terres que sa culture entraîne : après la récolte, la terre doit être laissée au repos pendant 12 années avant qu'elle puisse être réutilisée !

La composition des racines de ginseng est avant tout marquée par sa teneur en vitamines du groupe B. Mais elle contient aussi des vitamines A, C, E et D, ainsi que des minéraux et des oligoéléments. Ses vertus curatives semblent être dues à une substance appelée ginsénoïde. Les préparations à base de ginseng devraient en contenir au moins 6 %.

Parmi toutes les indications du ginseng, citons les états d'épuisement, les maladies dégénératives, la dépression, les faiblesses du système nerveux, le diabète, le stress, mais aussi les problèmes de foie, de mémoire et la convalescence.

Dans le passé, les cures de ginseng se faisaient en mangeant chaque jour un petit morceau de racine. De nos jours, on utilise surtout des extraits liquides qui concentrent ses principes actifs. Dans chaque cas, il faut suivre la posologie indiquée par le fabricant. Généralement, l'extrait est accompagné d'une petite cuillère doseuse.

Les cures s'étendent sur 4 à 6 semaines et sont répétées selon les besoins au cours de l'année.

Le germe de blé

Le germe est la partie nutritive la plus riche du grain de blé. Alors que l'enveloppe est presque exclusivement composée de cellulose inassimilable à l'être humain, et la partie centrale du grain d'amidon, le germe concentre la majeure partie des nutriments nécessaires à la croissance de la future plante : des acides aminés, des acides gras essentiels, de nombreux minéraux, des oligoéléments, tout le groupe de vitamine B et une concentration record de vitamine E. Cette teneur exceptionnelle en nutriments permet la croissance explosive de la jeune plante pendant les premiers jours de sa vie.

Contre toute attente, la croissance du germe ne diminue pas ses réserves, mais les augmente! Le germe de blé devient donc encore plus riche qu'avant la germination. Grâce à des enzymes, de nouveaux nutriments sont produits. Ainsi, pour 100 g de germe, le taux de calcium passe en quelques jours de 45 à 71 mg, et celui du magnésium de 133 à 342 mg. La teneur en vitamines augmente de 20 % pour la vitamine B 1, de 45 % pour la vitamine B 5, de 200 % pour la vitamine B 6, de 225 % pour la provitamine A, de 300 % pour la vitamine E et de 500 % pour la vitamine C!

La richesse nutritionnelle du grain en cours de germination est donc beaucoup plus grande que celle du grain non germé. Pour faire germer le blé, il suffit de déposer des grains 12 heures dans un verre d'eau, puis de les étaler dans une assiette où ils seront régulièrement humidifiés. Déjà au bout de 3 à 4 jours, le germe apparaît: il se présente d'abord sous forme d'un point blanc, qui s'allonge ensuite pour devenir une petite tige, d'abord blanche, puis verte.

Le blé germé se consomme lorsque le germe a atteint une longueur de 3 à 5 mm. À ce stade, il est encore blanc. Le germe est mangé avec le grain et les petites racines qui se sont formées. Il a un goût agréable et convient spécialement bien pour agrémenter les salades.

Afin de disposer quotidiennement de blé germé au cours de la cure, il est recommandé de mettre tous les jours une nouvelle dose dans une assiette. Dans le commerce, il existe des germoirs à plusieurs étages qui remplacent avantageusement les assiettes.

Mis à part ses propriétés revitalisantes, le blé germé est indiqué lors d'hypotension, de dépression, de tendances aux thromboses et de règles douloureuses ou irrégulières.

La dose quotidienne correspond à une cuillerée à soupe rase de grains de blé secs. À cause de ses propriétés très revitalisantes, un surdosage conduit à un état d'excitation physique et psychique. C'est la raison pour laquelle le germe de blé est contreindiqué aux hypertendus et sa consommation est déconseillée le soir. La dose quotidienne peut être prise en une fois, au petit-déjeuner ou au repas de midi.

Les cures durent généralement 2 à 3 semaines et peuvent être répétées sitôt que le besoin s'en fait sentir.

L'huile de foie de flétan

Le flétan est un poisson de mers du nord dont le foie contient une huile très riche en vitamine D. Sa teneur est de 2 à 3 millions d'unités internationales (UI) de vitamine D pour 100 g, alors que les aliments qui en contiennent le plus – le beurre, le fromage, les œufs… – ne dépassent pas 200 UI pour 100 g.

La vitamine D favorise non seulement l'absorption du calcium au niveau intestinal, mais elle contribue aussi à maintenir constant le taux de calcium sanguin, afin que les cellules puissent en disposer à tout moment. De plus, la vitamine D favorise la fixation du calcium dans le squelette, conférant ainsi la solidité aux os. Or, le sang et le squelette sont deux réserves importantes dans lesquelles le corps puise le calcium pour lutter contre l'acidification.

L'huile de foie de flétan est donc un complément spécialement indiqué pour les personnes souffrant d'acidification car il évite qu'à la décalcification du squelette due à l'acidité s'ajoute celle due à une carence en vitamine D.

Mis à part la vitamine D, cette huile contient aussi de grandes quantités de vitamine A, dont le rôle bien connu au niveau des yeux et de la peau se double d'une action sur le squelette. En tant que cofacteur de la vitamine D, la vitamine A contribue à la formation des os et à la fixation du calcium.

L'huile de foie de flétan est généralement conseillée en hiver, parce que c'est la saison la moins ensoleillée. Il est bien connu que le soleil joue un rôle important dans la calcification du squelette, et la vitamine D peut être fabriquée par la peau lorsque celle-ci est exposée aux rayons solaires.

Les indications de cette huile sont le rachitisme, les troubles de décalcification, les fractures, l'ostéoporose, la tendance aux caries dentaires. Elle est aussi conseillée lors de la croissance et de la ménopause.

De nos jours, l'huile est vendue en capsules, à avaler avec un peu d'eau. Étant une vitamine liposoluble, elle sera mieux digérée et assimilée par l'organisme si elle est absorbée au milieu d'un repas contenant de préférence des graisses.

Il est important de respecter la posologie indiquée par le fabricant, car tout excès de vitamine D peut être préjudiciable à la santé.

Les cures s'étendent sur 2 ou 3 mois. Les personnes acidifiées ne doivent pas attendre l'hiver, mais effectuer leur cure à n'importe quel moment. Par la suite, la cure sera répétée une fois par année pendant la saison froide.

Tableau de mesure du pH

Date	matin	midi	soir	Remarques

Bibliographie

Association médicale Kousmine, *La méthode Kousmine*, Jouvence, 1989
  Comprendre et rétablir son pH urinaire, expliqué par des médecins
  de l'Association Kousmine.
Besson Philippe-Gaston (Dr), *Acide-base, une dynamique vitale*,
  Jouvence, 2003
  Exposé complet de l'équilibre acido-basique par un médecin de la
  Fondation Dr Catherine Kousmine.
Carton Paul (Dr), *Traité de médecine, d'alimentation et d'hygiène natu-
  riste*, Maloine, 1924 – réédité en 1985
  Ouvrage de base indispensable sur la médecine naturelle. Au chapitre
  XIV se trouve une étude complète et détaillée de la question de l'aci-
  dité. (peut-être commandé directement à la famille de l'auteur :
  Mme Tellier, 57, rue Édouard Vaillant, F-94450 Brévannes)
Fontaine Jacques, *Terrain acidifié*, Jouvence, 1994
  Petit guide répondant aux questions principales.
Kousmine Catherine (Dr), *Soyez bien dans votre assiette jusqu'à 80 ans
  et plus,* Tchou, 1980
  Le chapitre X est consacré à l'équilibre acido-basique et au pH
  urinaire.
Masson Robert
  *La révolution diététique par la lendynotrophie ou le réglage alimen-
  taire individualisé,* Albin Michel, 1990
  Un livre de base pour régler son alimentation en faveur d'une vitalité
  maximale.
  – *Soignez-vous par la nature,* Albin Michel, 1977
  – *Santé et vitalisme originel,* Retz, 1990
  Nombreux chapitres traitant des différentes facettes de l'acidité.
André Schlemmer, *La méthode naturelle en médecine,* Le Seuil, 1969
  Ce disciple du Dr Carton consacre plusieurs chapitres à l'équilibre
  acido-basique, la décalcification et l'intolérance aux acides.
Vasey Christopher, *Manuel de détoxication – Santé et vitalité par l'éli-
  mination des toxines,* Jouvence, 1990
  Livre très pratique sur l'élimination des toxines en général et des
  acides en particulier. Expose le rôle des toxines dans les maladies,
  le fonctionnement des émonctoires et la manière de les stimuler.
  Contient de nombreuses recettes et exemples de cures.

Crédit photos : Fotolia.com

Envie de bien-être ?
www.editions-jouvence.com

Le bon réflexe pour :

Être en prise directe :
- avec nos **nouveautés** (plus de 60 par année),
- avec nos **auteurs** : Jouvence attache beaucoup
  d'importance à la personnalité et à la qualité de
  ses auteurs,
- avec tout notre **catalogue**... plus de 400 titres disponibles,
- avec les **Éditions Jouvence** : en nous écrivant
  et en dialoguant avec nous. Nous vous répondrons
  personnellement !

Le site web de la découverte !

Ce site est réactualisé en permanence, n'hésitez pas à le consulter régulièrement.

Dépôt légal : mars 2012
IMPRIMÉ EN FRANCE

Achevé d'imprimer le 27 février 2012
sur les presses de l'imprimerie « La Source d'Or »
63039 Clermont-Ferrand
Imprimeur n° 15689

PEFC/10-31-2008

Dans le cadre de sa politique de développement durable,
La Source d'Or a été référencée IMPRIM'VERT®
par son organisme consulaire de tutelle.
Cette marque a été attribuée à l'issue d'un programme d'investissements
et d'un audit garantissant la totale récupération des déchets
à des fins de recyclage.
Cet ouvrage est imprimé - pour l'intérieur -
sur papier bouffant « Munken Print White » 90 g (main de 1,8)
provenant de la gestion durable des forêts,
des papeteries Arctic Paper, dont les usines ont obtenu
les certifications environnementales ISO 14001 et E.M.A.S.